*Manuel pratique de modelage*

*MARIO MOLTENI*

# *Manuel pratique de modelage*

*CELIV*

TRADUCTION
*Florence Cadouot*

REDACTION
*Art, Bologne*

GRAPHISME
*Ettore Maiotti*

*Les sculptures dont l'auteur n'est pas précisé sont de Mario Molteni*

*Les sculptures de Mario Molteni ont été photographiées par Piero Baguzzi et Alberto Bertoldi*

*Les photographies proviennent des Archives du Groupe Editorial Fabbri, Milan*



*Cette édition est publiée en 1991 par Celiv, Paris*

*Imprimé en Italie par Gruppo Editoriale Fabbri S.p.A., Milan*

*ISBN 2-86535-136X*

## UN PETIT MANUEL PRATIQUE: MODE D'EMPLOI

Avant de commencer, il y a une chose qui me tient beaucoup à cœur et qu'il me semble important de dire. J'aimerais préciser ce qu'est ce petit manuel et l'usage qu'on pourra en faire: ce qu'on peut en attendre mais aussi ce que sa lecture ne pourra apporter. Les simples « conversations » qui suivront concernant les façons de travailler l'argile et sa technique en sculpture n'ont pas pour but, et encore moins la prétention de former des artistes.

Nous ne ferons, ou mieux, nous ne hasarderons aucun jugement esthétique ou de style, aucune indication ne sera donnée sur le contenu, l'expression et encore moins sur la valeur artistique de la réalisation. Car tout ceci ne serait à mon avis ni correct, ni utile. Je ne crois pas, en effet, qu'il soit possible de « communiquer » des dons ou des capacités artistiques au travers d'un texte tel que celui-ci, qui se veut et ne peut apporter qu'une aide technique fonctionnelle et exhaustive. Le but dans lequel il a été conçu est de fournir un guide pratique clair et concis afin d'affronter de la meilleure manière possible un matériau simple qui de ce fait offrira de multiples possibilités, à savoir l'argile. Ce petit précis de notices et de conseils techniques, afin de parvenir à réaliser étape par étape, du début (ou plutôt des préliminaires) à la fin (nous irons jusqu'au stade de la finition et de la couleur), a été expressément conçu pour quiconque désire commencer le modelage, approcher la sculpture, n'étant encore nullement familiarisé avec les opérations à accomplir, les instruments à employer, et les façons de faire à adopter pour obtenir un résultat concret et satisfaisant.

Je crois qu'il est ici utile de bien clarifier deux concepts qui, du moins en ce qui concerne ma propre expérience, pourront se révéler utiles quant à une préparation correcte et constructive, non seulement à ce petit manuel, mais surtout à l'activité même dont nous parlerons. Il s'agit en l'occurence de sculpture, mais il pourrait tout aussi bien s'agir d'une autre discipline artistique: la manière d'apprendre à la connaître et de la pénétrer est identique.
La sculpture, comme du reste la peinture, la poésie ou la musique, demeure fondamentalement un langage et comme tel doit être prise par le commencement. Le langage est expression et les modes selon lesquels celle-ci prend forme peuvent être multiples, mais la substance reste la même. Que l'on s'exprime verbalement ou qu'on choisisse le mode figuratif, musical ou poétique, dans tous les cas un mécanisme expressif se déclenche.
Modeler, tout comme parler, écrire, peindre ou composer un morceau de musique, sont autant de manières de donner vie à une expression: quel que soit le moyen ou le matériau choisi, le résultat doit toujours être identique: exprimer une idée, quelque chose qui n'existe qu'en nous, mais qui nécessite d'être concrétisé, d'être mis au jour, afin de pouvoir devenir communication. Le langage n'est en effet rien d'autre que le moyen par lequel la communication s'effectue. Donc, en définitive, que signifie communiquer, donner vie et donner une réalité concrète à une expression (qui peut concerner un sentiment, une situation, un récit, etc.) au travers des formes et des structures du langage? Cela signifie, au-delà du contexte spécifique précédemment choisi, donner forme, donc rendre concret, réel, je dirais presque tangible, un contenu qui n'existait jusqu'alors qu'en nous-mêmes, encore abstrait, non formulé. L'opération qui consiste à concrétiser une idée n'est cependant pas automatique, spontanée: elle doit en apprendre les modalités bien précises qui la rendent possible. Lorsque chacun de nous a appris à parler puis à écrire, il a dû commencer par assimiler les éléments de base de la langue, les lettres de l'alphabet, leur son et leur forme.
Ensuite il aura appris comment les composer en unités plus complexes: les mots; ce n'est qu'après qu'il aura commencé à les assembler, pour en formuler d'autres de nature plus complexe: phrases, discours entiers. Afin que tout ceci fût possible, il aura fallu apprendre les modes logiques, les structures conventionnelles du code linguistique, sans lesquels notre manière de nous exprimer ne pourrait avoir de sens, et traduire notre pensée de façon intelli-

gible. La grammaire, avec toutes ses règles, consiste justement en cela: elle est le statut, la codification qui organise et rend possible une langue. Naturellement, ce qui a été dit jusqu'ici vaut aussi pour tous les autres types de langage: s'exprimer grâce à eux est indissociable de la connaissance des éléments constitutifs et des règles fondamentales qui en régissent le fonctionnement. Il ne sera permis de donner forme à quoi que ce soit de compréhensible qu'en respectant la structure et la logique interne propres au langage employé. Voilà pourquoi il est avant tout important de s'assurer une solide base « grammaticale » avant de commencer à parler avec les images et les formes. Tout cela pourra paraître ennuyeux et décourager, mais il ne s'agit pas de faire vaciller ou s'éteindre notre enthousiasme. Il est fondamental de partir du bon pied, et le reste, sur la lancée de débuts intelligents, même si ceux-ci se révèlent plus accaparants que prévus, viendra naturellement, en amenant probablement avec soi davantage de possibilités et d'ouvertures. Il suffit de penser une fois encore au langage verbal, qui est pour nous le plus familier. Au moment où nous parvenons à bien connaître une langue, parlée ou écrite, nous n'avons plus recours aux règles grammaticales ou à celles de la syntaxe, précédemment assimilées, nous les appliquons au fur et à mesure, presque spontanément et comme s'il s'agissait d'une seconde nature: ces structures font désormais partie intégrante de notre mode de penser, elles le régulent et le déterminent, elles sont devenues un patrimoine inaliénable de nos actes et jaillissent immédiatement de nos mécanismes logiques, sans qu'il faille les reformuler à chaque fois. De la même façon, lorsque nous aurons acquis les bonnes dispositions et que nous aurons assimilé les quelques règles fondamentales, illustrées plus loin, en prenant garde à les appliquer avec rigueur et cohérence, nous aurons atteint le niveau de base de la « façon de faire » qui se développera ensuite et ne portera ses fruits qu'avec l'expérience.

Le but que nous devons nous fixer est de connaître, de « pénétrer » et donc de faire nôtre la matière que nous désirons transformer, afin de garder le contrôle constant de ce que nous faisons, et surtout, afin de faire coïncider le plus possible l'issue finale du travail avec l'idée qui nous a animés, avec l'intention qui nous a fait ressentir l'exigence de l'exprimer.

Je voudrais en outre souligner un aspect très important, un aspect commun à toutes les formes d'expression artistique: celui de la pratique.

Sans aucun doute, la dimension de notre action ne se réduit pas à son aspect manuel même s'il est indispensable de maîtriser ce dernier: ainsi nous n'aurons pas à nous sentir mortifiés, frustrés du désir d'agir sur une matière qui, ne sachant pas la traiter, se rebellera, nous placera face à une limite infranchissable.
Voici donc l'importance du *métier*, lequel s'acquiert exclusivement au travers de l'expérience fournie par la pratique. Il convient en fait de canaliser et de lier de façon adéquate, par la rigueur de la « méthode », c'est-à-dire en appliquant toujours et correctement notre « grammaire », les normes de base, ce dont j'ai parlé précédemment. De cette façon, la pratique deviendra aussi notre « formation » et repoussera nos limites, nous rendra plus conscients et davantage maîtres de ce que nous faisons.
Ce n'est qu'ainsi que nous nous distinguerons de celui qui désire tant parler, mais, malgré ses efforts, reste sans voix. Notre voix, ce sera notre métier; ce que nous dirons, sa valeur et sa beauté dépendent de ce qui nous est propre, et aucun manuel, aussi bon soit-il, ne peut le donner.
C'est à mon avis très important: le métier et l'adresse, aussi parfaits soient-ils, ne feront de qui que ce soit un artiste mais pourront (et c'est déjà beaucoup) lui donner la possibilité de le devenir. On ne peut enseigner la « poésie » ni en avoir la prétention: promettre de le faire serait une erreur et probablement quelque peu ingénu.
Au cours de nos entretiens, nous verrons donc ce que sont les normes techniques, les instruments, les moyens et les façons de faire. On dira « comment » modeler, et non ce qu'il faut modeler ni le pourquoi.
La créativité et les motivations ne s'enseignent pas et ne peuvent venir de l'extérieur; elles appartiennent en propre à chacun, dans des mesures et sous des formes diverses qui doivent être respectées et laissées libres de s'organiser, de même que le comment et le pourquoi de cette exigence.
Ceci étant dit, nous pouvons entrer dans le vif du sujet, sachant que les instruments et les règles à acquérir sont peu nombreux mais d'une importance fondamentale; il sera bon d'apprendre le juste emploi des uns et de ne pas omettre d'appliquer les autres avec rigueur.
Il semblera beaucoup plus facile de s'en libérer ensuite, alors que nous les posséderons et que leur mise en pratique viendra dc soi, chaque fois de la manière adéquate, toujours avec moins d'efforts et plus de désinvolture.

Je me suis toujours plu à penser, en travaillant au gré de ma fantaisie, que le premier homme à avoir découvert l'argile avait été un enfant.
Chacun de nous, dès son plus jeune âge, a aimé malaxer la terre humide ou un autre matériau tendre, plastique, non seulement dans le but de donner forme à un objet bien défini, mais aussi pour le plaisir du toucher, par goût de manipuler un matériau docile et maléable, curieux d'enfoncer ses doigts dans une masse informe pour en modifier l'aspect et peu à peu la configuration.
Il nous est certainement arrivé à tous, tôt ou tard, de ressentir une envie irrésistible de « mettre les mains » dans la pâte, dans l'argile mouillée, dans quoi que ce soit permettant d'être modelé, pétri, modifié: ceci sans très bien savoir pourquoi, mais en se laissant aller à ses impulsions, au plaisir d'éprouver la sensation agréable et stimulante du toucher, de l'empreinte des doigts, de « sentir » des formes toujours en mutation.
C'est donc à la suite de cette impulsion instinctive, plus proche du jeu que d'autre chose, que notre jeune et très lointain ancêtre aura découvert l'argile, constatant la possibilité de créer des objets aux multiples aspects.
La terre et l'eau sont les éléments de base auxquels la vie de l'homme est liée depuis toujours. Ils sont très probablement à l'origine de la première substance manipulée, traitée par

*Bas-relief en terre cuite de la Côte d'Ivoire*

ces animaux très spéciaux, curieux et « prometteurs », qu'étaient nos ancêtres. Eux aussi possédaient ce désir sain et inextinguible de jouer, qui, pour notre bonheur, caractérise l'être humain et l'accompagne, de façon plus ou moins manifeste, tout au long de la vie.
C'est ce désir, ou mieux, ce besoin inépuisable du jeu qui nous a distingués, animaux toujours curieux, entreprenants, certainement désireux d'« aller voir » et de faire, de découvrir et d'expérimenter, de rester des enfants en quelque sorte.
Il s'est donc agi à l'origine d'un jeu qui s'est ensuite révélé être une découverte tellement importante, capable de modifier, dans une certaine mesure, les usages et le mode de vie des hommes.
Les premiers objets manufacturés en argile ont certainement été des objets d'usage courant: vaisselle, récipients rudimentaires et de diverses sortes, tout d'abord séchés au soleil, puis cuits dans des fours primitifs. Légers, maniables, mauvais conducteurs et par là aptes

Tête en terre cuite – *Ife – Nigeria – XIII$^{e}$-XIV$^{e}$ siècles – 21 cm – Musées Nigériens*

à maintenir constante la température de leur contenu, ces objets présentaient de grands avantages pratiques.
La matière première nécessaire à leur réalisation était facilement repérable et relativement simple à travailler: mais elle avait une valeur supplémentaire: elle permettait une inépuisable fantaisie des formes.
Très tôt les objets en terre cuite n'eurent plus seulement un rôle pratique mais s'enrichirent d'autres significations. De simples et dépouillés ils devinrent, avec le temps, toujours plus finement décorés, avec reliefs incrustés, incisions et brillantes couleurs; au côté utilitaire s'ajouta une dimension purement esthétique: l'objet devint décoration, propriété et, comme tel, matière précieuse de troc.
Les formes se définirent toujours davantage en fonction des différentes provenances ethniques et géographiques, devenant des éléments caractéristiques, à même de désigner une ethnie précise et son identité sociale: de véritables « marques de fabrique » naquirent ainsi.

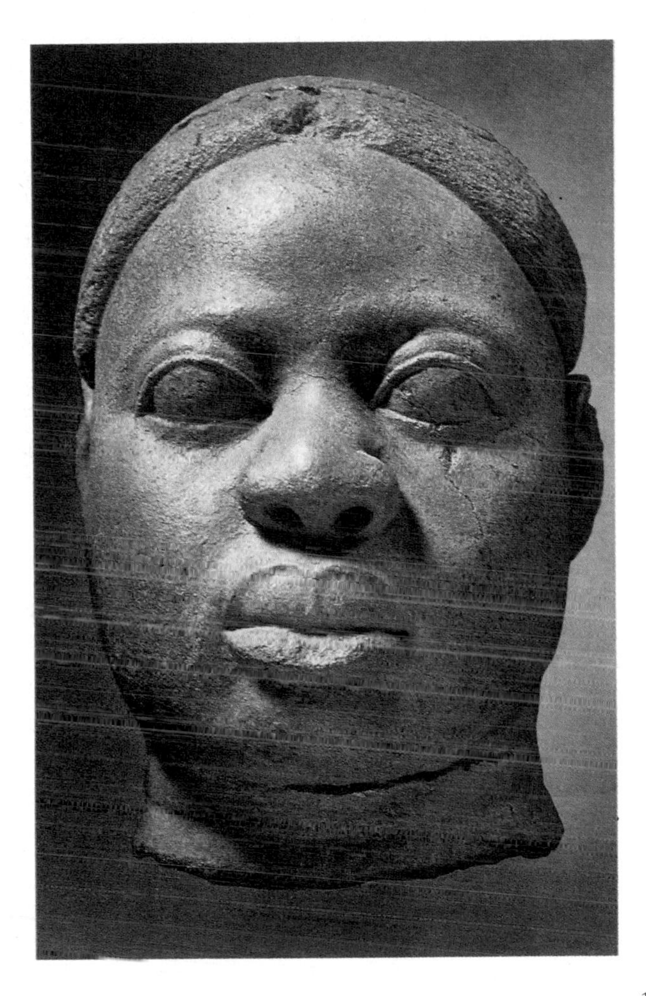

Tête en terre cuite – *Ife – Nigeria – XII^e-XV^e siècles – c. 29 cm – Musées Nigériens*

Mobilier d'une tombe avec vase minoen et objets égyptiens – *Abydos – XIX^e^ siècle av. J.-C. – Oxford, Ashmolean Museum*

Matrice et épreuve avec Bes luttant contre le taureau – *de Kythréa – VII$^{e}$ siècle av. J.-C. – terre cuite – 6 x 10 cm – Nicosie, Cyprus Museum*

Relief circulaire avec deux ibis – *de Carthage – VI$^{e}$-V$^{e}$ siècles av. J.-C. – terre cuite – diamètre 10,8 cm – Carthage, Musée de Carthage*

Styles, formes et techniques virent le jour. L'usage de la terre cuite s'étendit, pour fournir des objets à caractère religieux, votif, décoratif et artistique.
Voyons brièvement quelle fut l'histoire de ce matériau qui accompagna constamment le développement de la civilisation.
Les premiers objets en terre cuite, qui remontent au VI^e^ et V^e^ millénaire av. J.-C. et viennent d'Orient, étaient réalisés en superposant des boudins de terre ensuite soudés par pression des doigts; puis ils furent fabriqués en comprimant une feuille d'argile dans un moule ou en appliquant l'argile très diluée au creux d'un modèle. L'usage du tour apparut à la fin du Néolithique. Au début, on modelait à la main avec l'aide d'un ébauchoir de bois, puis, grâce à l'emploi de matrices en négatif, on fut capable d'obtenir de très nombreuses répliques de figurines en ronde-bosse, de reliefs et des différentes parties de grandes sculptures qu'on assemblait ensuite.

Rython en forme de charrette tirée par des bœufs – *art subminoen – Karfi – terre cuite – 1200/1000 av. J.-C. – hauteur 50 cm – Héraklion, Musée d'Héraklion*

Très souvent, à l'aide de la matrice, on « estampait » la partie antérieure de la figure, tandis que la partie postérieure était modelée à la main, de même que les détails qui pouvaient être aussi travaillés séparément pour être ensuite ajoutés avant la cuisson.
Les petites terres cuites les plus anciennes étaient pleines, mais dès l'époque archaïque grecque (VIII - VI siècle av. J.-C.) elles sont creuses. Reliefs et figurines étaient peints avec de brillantes couleurs appliquées après cuisson sur l'engobe (ou support de la couleur) de lait de chaux.
Dans l'Egypte ancienne la terre cuite fut rarement employée, presque toujours remplacée par la majolique: ce n'est que sous l'influence de la culture hellénistique qu'on produisit beaucoup de sculptures en terre.
En revanche, en Mésopotamie, ce matériau connut les emplois les plus divers: sarcophages, meubles, figures et reliefs.
Les époques minoenne et mycénienne connurent un large usage de la terre cuite et la majolique (c'est-à-dire la terre émaillée) fut privilégiée; on fabriqua des idoles, des animaux, des vasques et des sarcophages.
En ce qui concerne la Grèce archaïque, le travail de l'argile se développa amplement, donnant naissance aux importantes fabriques de

*A gauche,*
Fragment d'acrotère: tête de sphinge – *Thèbes, temple d'Apollon Ismène – art corinthien – 540/530 av. J.-C. – terre cuite – hauteur 20 cm – Paris, Musée du Louvre*

*A droite,*
Plaque votive avec Hadès et Perséphone trônant – *art de la Grande Grèce – Locri – 470/460 av. J.-C. – terre cuite – hauteur 27 cm – Reggio Calabria, Musée National*

*A gauche,*
Portrait d'homme – *art d'Italie centrale – Tarquinia – II^e/I^er siècles av. J.-C. – terre cuite – hauteur 23 cm – Tarquinia, Musée National*

*A droite,*
*Niccolò dell'Arca* (c. 1435/40-1494): Déposition – *c. 1485 – terre cuite – Bologne, Eglise Santa Maria della Vita*

*Niccolò dell'Arca:* Déposition (détail: Sainte Marie Madeleine) – *terre cuite – hauteur 100 cm – Bologne, Eglise Santa Maria della Vita*

*Niccolò dell'Arca, peut-être originaire des Pouilles mais considéré comme le sculpteur émilien le plus authentique du XV^e^ siècle, doit son surnom à sa première œuvre:* Le couronnement de l'arche de Saint Dominique *(1469-1473, Bologne, Eglise San Domenico). Il resta inégalable en ce qui concerne le travail de la terre cuite et du marbre, tandis que nous savons qu'il ne produisit jamais de bronzes. Sa présence à Naples puis en Dalmatie et en France est attestée, mais on ne connaît aucune de ses œuvres antérieures à son arrivée à Bologne (1493). Parmi ses réalisations bolonaises, la* Déposition *à Santa Maria della Vita (après 1485) avec des personnages de terre cuite, à une certaine époque polychromes et disposés selon un ordre différent.*

*A droite, Giovanni Antonio Amadeo (c. 1447-1522):* Détail de tympan avec médaillon – buste de prophète entouré de guirlandes et de putti – *c. 1465-1470 – terre cuite – Pavie, Chartreuse, Petit Cloître*

*Giovanni Antonio Amadeo, architecte et sculpteur lombard, surtout connu pour avoir réalisé la chapelle Colleoni de Bergame (1470-1475), exerça une grande partie de son activité à la* Chartreuse *de Pavie où il travailla de 1466, alors à peine âgé de dix-neuf ans, à 1470 à la décoration en terre cuite du Petit Cloître et à la porte de marbre par laquelle on y accède; puis dc 1474 jusqu'aux premières années du XVI^e^ siècle à la partie inférieure de la façade, en collaboration avec Antonio et Cristoforo Mantegazza et d'autres sculpteurs de moindre importance.*

Corinthe et d'Argolide; par exemple, les éléments décoratifs des temples étaient en terre cuite polychrome. Mais c'est surtout en Etrurie que l'usage et la tradition de l'argile se répandirent, toujours grâce à l'influence des artisans grecs. L'école la plus importante se trouvait à Veio et la Rome du V$^{e}$ siècle av. J.-C. en témoigne.

Les parties décoratives des temples étaient en terre cuite, mais c'était aussi le cas des grands sarcophages, des urnes, des figures et des portraits.

22

En Grande Grèce et en Sicile, elle fut largement employée en architecture, mais aussi pour réaliser des bustes de divinités, des statues, des urnes funéraires et des reliefs. Durant l'époque hellénistique (III$^{e}$-I$^{er}$ siècle av. J.-C.), tout le bassin méditerranéen connut une très vaste production de petites sculptures en terre, en particulier dérivées de la grande statuaire, dans des centres aussi importants que Tanagra, Mirina, Alexandrie en Egypte, Locri, Tarante, Paestum et Capoue.

La Rome républicaine (VI$^{e}$-I$^{er}$ siècle) réalisa en terre cuite des éléments architectoniques, des statues votives et des reliefs figurés.

*Andrea del Verrocchio (1435-1488):*
Résurrection du Christ – *terre cuite polychrome hauteur 133 cm – Florence, Musée National du Bargello*

*Andrea del Verrocchio, orfèvre, peintre et sculpteur, surtout connu en tant que sculpteur bien que soient sortis de son atelier (l'un des plus actifs et des plus fréquentés de l'époque) les plus grands peintres de la Renaissance, tels que Léonard, Pérugin, Lorenzo di Credi. Parmi ses oeuvres plastiques: le* David *(1465-1470, bronze; Florence, Musée National du Bargello), la* Décollation de Saint Jean-Baptiste, *relief pour l'autel en argent du baptistère de Florence (1477-1480), la* Résurrection, *esquisse en terre cuite polychrome (reproduite ci-contre), le groupe en bronze l'*Incrédulité de Saint Thomas *(c. 1483, Florence, Orsanmichele), le* Putto avec un dauphin *peut-être exécuté en 1475 pour les Médicis et placé sur la fontaine du Palazzo Vecchio, le portrait en buste de la* Dame au bouquet de fleurs *(Florence, Musée National du Bargello), les diverses* Vierge à l'Enfant *à mi-corps en terre cuite et marbre et le* Monument équestre de Bartolomeo Colleoni *à Venise.*

*Pages suivantes,*

*Guido Mazzoni (1450-c. 1518):* Déploration du Christ *(détail) – terre cuite polychrome – hauteur c. 160 cm – Modène, Oratoire San Giovanni*

*Guido Mazzoni:* Personnages d'une Déposition *(detail) – terre cuite – Padoue, Musée Civique*

*Guido Mazzoni, sculpteur émilien, exécuta divers groupes plastiques en terre cuite polychrome représentant la* Nativité *et la* Déposition *(ou* Déploration sur le Christ mort*), éparpillés dans diverses églises de villes italiennes (Modène, Busseto, Crema, Naples) ou conservés par fragments au Musée Civique de Padoue. En 1495, à l'instar d'autres artistes italiens, il se rendit en France pour suivre Charles VIII. Malheureusement, il n'est resté nulle trace des œuvres qu'il y exécuta.*

*Luca della Robbia, représentant de tout premier rang d'une famille de sculpteurs et céramistes florentins qui exercèrent aux XV^e et XVI^e siècles. Vasari lui attribue à tort l'invention de la terre cuite vitrifiée (technique qui existait déjà antérieurement mais n'était appliquée qu'aux objets d'usage courant), alors que lui revient le mérite d'avoir perfectionné ce procédé et de l'avoir appliqué à la sculpture, même à l'échelle monumentale.*

*Dans les* Vies*, Vasari écrit au sujet de Luca della Robbia: « Mais après ce travail, ayant fait le compte de ce qu'il en avait retiré et du temps passé, il récapitula la maigreur de son gain et l'étendue de ses peines. Aussi décida-t-il d'abandonner marbre et bronze et de chercher s'il pourrait tirer meilleur profit ailleurs. Il pensa que la terre se travaillait facilement et à moindre peine et que manquait seulement un procédé pour conserver longtemps les œuvres qu'on en tirait... Après de multiples expériences, il découvrit qu'un enduit vitrifié composé d'étain, de litharge, d'antimoine et autres minéraux mélangés et cuits dans un fourneau approprié permettrait d'atteindre ce but et assurerait aux œuvres de terre une durée presque éternelle. Cette formule dont il fut l'inventeur lui valut beaucoup d'éloges et la reconnaissance des siècles suivants. Ayant réussi selon son désir, il tint à ce que ses premières œuvres fussent placées dans l'arc surmontant la porte de bronze qu'il avait faite pour la sacristie, sous l'orgue, à Sainte-Marie-de-la-Fleur. Il y exécuta une* Résurrection *si belle pour l'époque que, mise en place, elle fut admirée comme une chose exceptionnelle. Ceci amena les fabriciens à désirer que le tympan de l'autre sacristie, du côté où Donatello avait orné l'autre orgue, fût de même garni par Luca de figures semblables et de décorations de terre cuite. Il y réalisa une très belle* Ascension*. Mais cette grande invention charmante et utile ne lui suffit pas... Il avait jusque-là réalisé ses œuvres toutes blanches; il trouva le moyen de les colorer à l'étonnement et l'incroyable satisfaction de chacun. Le magnifique Piero di Cosimo de Médicis fut parmi les premiers à lui commander des terres cuites colorées. Dans le palais édifié, comme nous le verrons, par son père Cosme, il lui fit décorer de diverses fantaisies la voûte en berceau d'un cabinet de travail; il fit également un extraordinaire pavement très utile pour l'été. Il est assurément surprenant qu'en dépit des grandes difficultés présentées et des précautions exigées par la cuisson de la terre, Luca ait pu mener ces travaux à un tel degré de perfection que voûte et pavement semblent d'une seule pièce. La renommée de ces œuvres se répandit non seulement en Italie mais par toute l'Europe; la demande était si grande que les marchands florentins, passant sans cesse des commandes à Luca pour son plus grand profit, en envoyaient dans le monde entier. Luca ne pouvait suffire; aussi détourna-t-il du ciseau ses frères Ottaviano et Agostino pour les mettre à la terre cuite beaucoup plus lucrative que la sculpture. Indépendamment de tout ce qui partait pour la France et l'Espagne, ils travaillaient aussi beaucoup en Toscane. En particulier pour Pierre de Médicis, à San Miniato al Monte, ils ornèrent la voûte de la chapelle de marbre, posée sur quatre colonnes au milieu de l'église, de beaux éléments octogonaux. Mais le travail le plus remarquable sorti de leurs mains fut, dans la même église, la voûte de la chapelle Saint-Jacques où est enseveli le cardinal du Portugal; bien qu'elle ne comportât par d'arête, ils disposèrent dans les angles quatre médaillons avec les* Evangélistes *et au centre un médaillon avec le* Saint-Esprit*; ils remplirent l'espace vide d'écailles qui tournent en épousant la voûte et en diminuant progressivement jusqu'au centre; on ne peut voir mieux dans le genre, ni trouver un ouvrage posé et assemblé plus habilement. A l'église San Piero Buonconsiglio, il exécuta dans une lunette au-dessus de la porte une* Vierge *entourée de quelques anges très vivants; dans la lunette surmontant la porte d'une petite église voisine de San Piero Maggiore, il fit encore une* Madone *et quelques anges jugés fort beaux. Au chapitre de Santa Croce, érigé par la famille Pazzi d'après le projet de Pippo Brunelleschi, il fut l'auteur de toutes les figures de terre cuite vernissée placées tant à l'intérieur qu'à l'extérieur ».*

*Luca della Robbia (c. 1400-1482):* Lunette de San Pierino – *terre cuite vitrifiée – Florence, Palais de Parte Guelfa*

*Michel-Ange Buonarroti (1475-1564):* Hercule et Cacus – *terre cuite – hauteur 41 cm – Florence, Casa Buonarroti*

*Michel-Ange Buonarroti, peintre, sculpteur, architecte et poète entra, en 1488, dans l'atelier de Domenico Ghirlandaio. De 1490 à 1492, il travailla pour Laurent de Médicis; se rendit en 1496 à Rome et reçut en 1498 la commande du groupe de la* Pietà *de Saint Pierre. En 1501, il revint à Florence où « l'Opera del Duomo » le chargea de sculpter le* David*. En 1505, le pape Jules II della Rovere lui commanda son tombeau, réalisation monumentale qui devait comporter quarante statues mais qui, lorsqu'elle fut érigée à Saint-Pierre-aux-Liens, ne disposait que de trois personnages (1542). De 1508 à 1512, l'artiste se consacra totalement à la décoration à fresque de la voûte de la Chapelle Sixtine; en 1513, il sculpta le* Moïse *et au cours des années suivantes les quatre* Esclaves *(Paris, Musée du Louvre). De 1520 à 1534, il se voua à la réalisation des tombes des Médicis pour la Nouvelle Sacristie à Florence, avec une interruption en 1528 en raison de la commande du groupe d'*Hercule et Cacus *et en 1529 pour les fortifications de Florence.*
*De retour à Rome en 1533, il se consacra (de 1534 à 1541) à la fresque du* Jugement Dernier *dans la Chapelle Sixtine. En 1550, il sculpta la* Pietà *qui se trouve aujourd'hui dans le Duomo de Florence et la* Pietà Rondanini *de Milan.*

*Giuseppe Sanmartino (1720-1793):* Figures pour une crèche *(détail) – terre cuite polychrome et étoffe – hauteur 25 cm – Naples, Musée National de San Martino*

*Giuseppe Sanmartino, sculpteur napolitain, surtout connu pour le* Christ voilé *en marbre exécuté en 1753 (Naples, Chapelle Sansevero), mais auteur de nombreuses autres statues. Il travailla le marbre, le stuc et la terre cuite et fut un grand modeleur de personnages de crèches tels que ceux reproduits ci-contre.*

*Antonio Canova (1757-1822):*
L'Amour et Psyché – *c. 1787 – terre cuite – hauteur 16 cm – Possagno, Gipsoteca Canoviana*

*Antonio Canova, sculpteur, passa à Venise ses années de formation pour se rendre ensuite à Rome en 1781, où il exécuta les monuments funéraires de Clément XIV (1787) et de Clément XIII (1792). Durant la période napoléonienne, il fit quelques portraits de l'empereur et de membres de sa famille* (Pauline Borghèse sous les traits de Vénus victorieuse, *1808). Il exécuta également d'autres monuments funéraires, parmi lesquels celui de Marie-Christine d'Autriche (1798-1805), et de nombreux sujets mythologiques, entre autres les diverses versions de* Ebe, les Trois Grâces, l'Amour et Psyché.

*A droite,*
*Auguste Rodin (1840-1917):*
Petite étude de tête – *terre cuite – hauteur 11 cm*

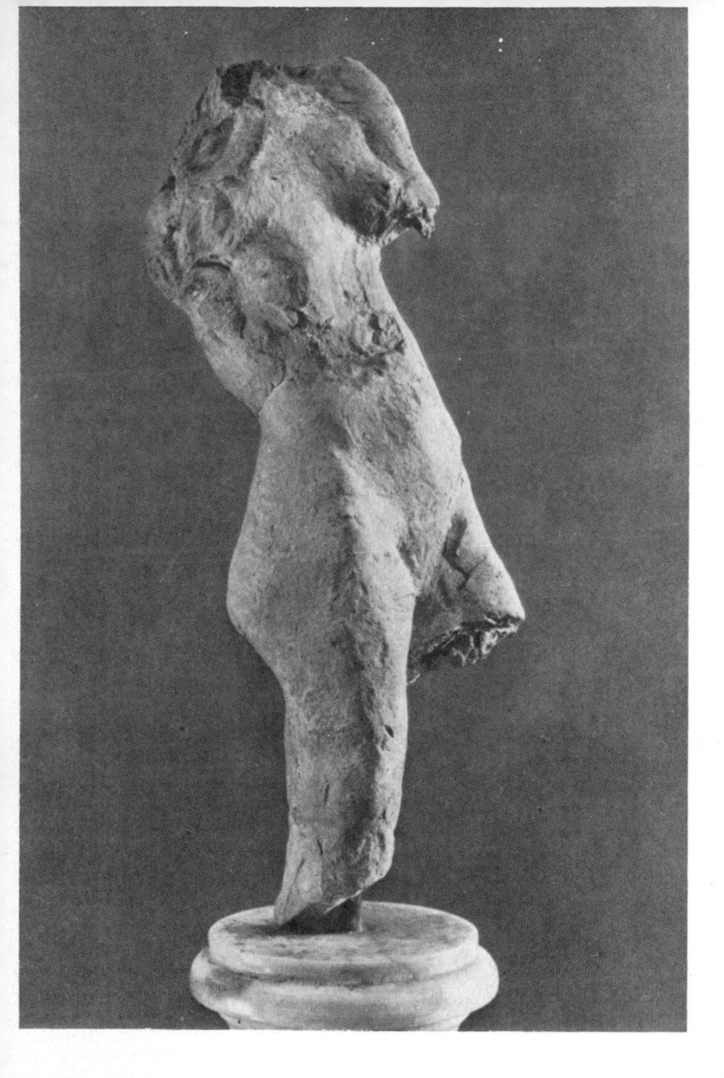

*Auguste Rodin, sculpteur français, étudia à l'école spéciale de dessin et de mathématique et entra en 1864 dans l'atelier du célèbre sculpteur Carrier-Belleuse, avec lequel il collabora à partir de 1870 et pendant quelques années aux travaux de décoration de la Bourse de Bruxelles. En 1875, il fit un voyage en Italie qui se révéla important concernant la découverte de l'art de Michel-Ange. En 1877, encore inconnu, il envoya à l'Exposition de Paris sa première grande œuvre,* L'Age d'airain. *De 1879 à 1882 il se consacra à la céramique auprès de la Manufacture de Sèvres. En 1880, le gouvernement français lui confia l'exécution d'une porte monumentale (appelée par Rodin* La Porte de l'Enfer*)*
*pour le Musée des Arts Décoratifs de Paris, œuvre qu'il n'acheva jamais.*
*Avec l'Exposition Universelle de Paris en 1900, à laquelle il participa avec l'*Homme qui marche, *le nom de Rodin acquit une renommée mondiale. Parmi ses œuvres:* Le Penseur *(1881),* Le Baiser *(1886),* La Main de Dieu *(1897),* La Cathédrale *(1908); parmi les commandes officielles:* Les Bourgeois de Calais *(1884-1895), le* Monument à Victor Hugo *(1893) et le* Monument à Balzac *(1892-1897).*

*Auguste Rodin:* Torse de femme I – *terre cuite – Paris, Musée Rodin*

Durant le haut Moyen-Âge, on en abandonna presque complètement l'usage, et cela jusqu'aux époques romane et gothique où l'argile fut à nouveau employée pour modeler des éléments décoratifs principalement destinés aux églises mais aussi à d'autres édifices. Cette pratique se développa largement au cours du XV$^{e}$ siècle, surtout en Lombardie et en Emilie.
La terre cuite en tant que moyen de développement des grandes œuvres plastiques apparaît déjà à l'époque gothique en Europe septentrionale; elle apparaît en Italie au Quattrocento, sous la forme de figures polychromes; les principaux sculpteurs en usèrent largement en Toscane (Donatello) ainsi qu'en Italie septentrionale (Niccolò dell'Arca; terre cuite vitrifiée de Luca della Robbia).
Plus récemment, la terre cuite a été principalement utilisée pour modeler des esquisses préparatoires et des modèles d'œuvres ensuite réalisées en marbre et en bronze, ceci jusqu'à nos jours où la terre fait à nouveau partie des matériaux propres à la sculpture, même s'agissant d'une version définitive (Fontana, Fabbri, Leoncillo, Melotti).

*Auguste Rodin:* Esquisse pour la Porte de l'Enfer – *1880 – terre cuite – hauteur 105 cm*

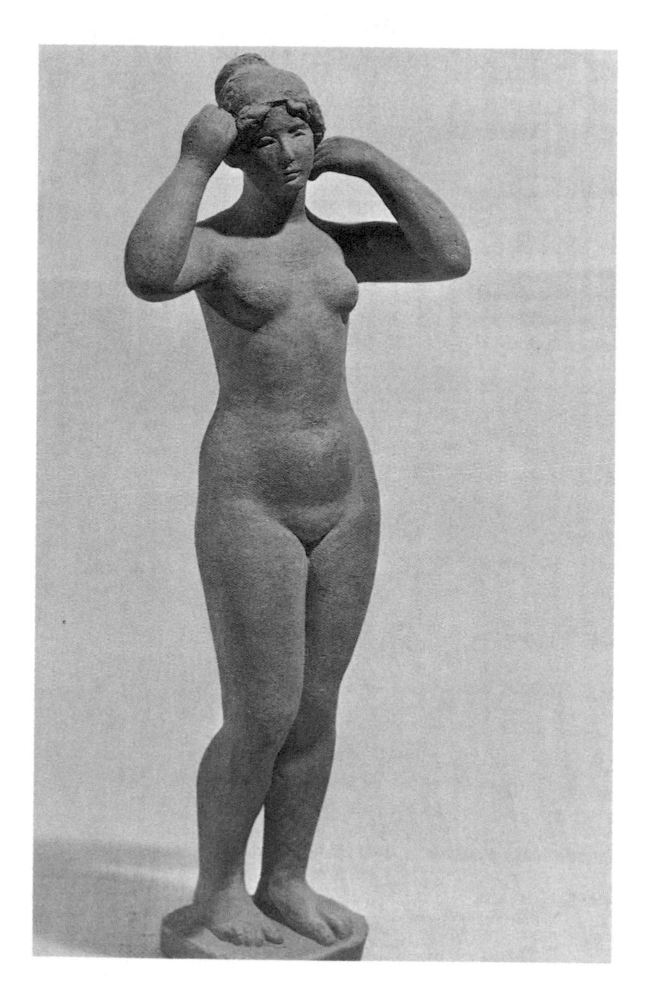

*Aristide Maillol (1861-1944):* Jeune fille debout se coiffant – *1919/1920 – terre cuite*

*Aristide Maillol, sculpteur français, commença ses études en tant que peintre à l'Ecole Nationale des Beaux-Arts de Paris, puis vers la fin du XIX*[e] *siècle, il se consacra avec toujours plus d'assiduité à la sculpture, privilégiant le nu féminin. Parmi ses œuvres:* La Nuit *(1910),* Monument à Cézanne, Méditerranée, Pomona, Ile de France, Vénus au collier, Nu assis, Trois nymphes *(réalisées entre 1912 et 1925),* Le Fleuve *(1939-1942).*

*A droite,*
*Lucio Fontana (1899-1968):* Personnages à la fenêtre – *1931 – terre cuite colorée – Milan, Collection Pollini*

*Lucio Fontana:* Figures noires – *1931 – terre cuite colorée – Milan, Collection Fontana*

*Lucio Fontana, sculpteur et peintre italo-argentin, une fois effectuées ses études en Italie, repartit pour l'Argentine en 1922 où il commença sa carrière artistique. De retour en Italie, il suivit à l'Académie de Brera les cours du sculpteur Adolphe Wildt. Au cours des années trente, outre les sculptures en terre cuite telles que celles reproduites, il s'orienta vers un langage abstrait, participant au travail de recherche d'un groupe d'artistes rassemblés autour de la Galerie du Milion à Milan. Durant la deuxième guerre mondiale il vécut en Argentine où il rédigea en 1946 le « Manifeste blanc » dans lequel étaient mises en place les bases théoriques du* spatialisme, *concept qu'il aurait développé après 1947 à Milan.*

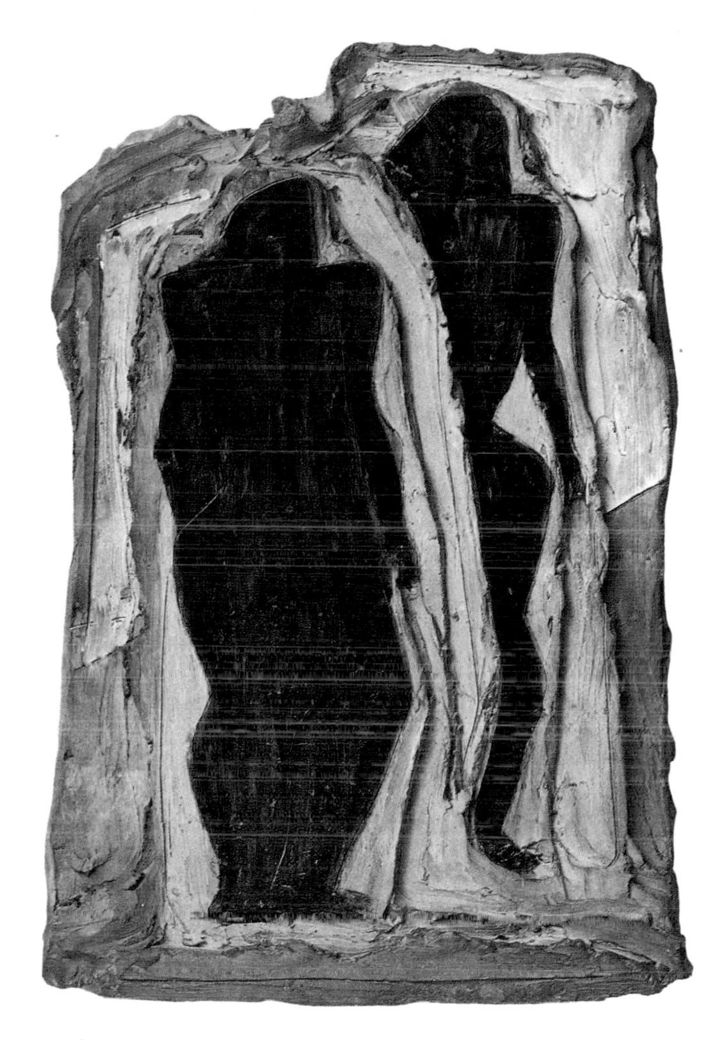

36

*Marino Marini (1901-1980):* Quadrige *– 1943 – terre cuite – Bâle, Kunstmuseum (à gauche)*

*Marino Marini, peintre, graveur et sculpteur, commença sa carrière de sculpteur en 1929 avec* Le peuple, *en terre cuite, et c'est en 1935 qu'il fut officiellement reconnu pour la première fois lors de la IIe Quadriennale romaine. Une première exposition de ses œuvres se tint en 1950 aux Etats-Unis et il reçut le Grand Prix de Sculpture à la Biennale de Venise en 1952. C'est dans les années cinquante que sa production artistique connut la plus grande ferveur. Ses sculptures rejoignirent les Musées et les Collections privées parmi les plus importants d'Europe et d'outre Atlantique. Parmi ses œuvres:* Ersilia *(1930-1949),* Le Jongleur *(1938),* Pomona *(1941),* Danseuse *(1949),* Cavalier *(1949-50),* Acrobates et jongleurs *(1953-1954),* Miracle *(1955).*

*Arturo Martini (1889-1947):* Clair de lune *– 1931 – terre cuite – hauteur 200 cm – Anvers, Open Air Museum of Sculpture Middelheim (à droite)*

*Arturo Martini, sculpteur, en 1909 fréquenta à Munich l'atelier de Hildebrand. En 1912, à Paris, il entra en contact avec Boccioni et Modigliani. En 1925, il obtint une salle à la Biennale romaine et il exposa pour la première fois à la Biennale de Venise en 1926. Toujours à Venise, en 1932, il présenta cinq œuvres en terre cuite parmi lesquelles* Clair de lune *et à celle de 1942 il exposa la fameuse œuvre* Femme nageant sous l'eau *en marbre de Carrare.*

*Fausto Melotti (1901-1986):* Seul avec les cercles *– 1944 – terre cuite – Milan, Collection Melotti*

*Fausto Melotti, sculpteur, ingénieur en électronique, décida de se consacrer à la sculpture en fréquentant les cours d'Adolphe Wildt à l'Académie de Brera. Il orienta sa première recherche vers une enquête sur l'espace, sur sa délimitation et son articulation, se situant ainsi immédiatement en dehors des courants artistiques alors dominants en Italie. Il eut des rapports de travail avec les artistes non figuratifs gravitant autour de la Galerie du Milion à Milan, où il présenta lors de la première exposition de 1935 dix-huit sculptures en plâtre, argile et métal verni. En 1943, la destruction de son atelier de même qu'une grande partie de ses œuvres marqua le début d'une période difficile durant laquelle Melotti gagna sa vie en faisant des céramiques.*
*La recherche de la dernière période semble orientée dans deux directions: l'une représentée par les structures en acier, souvent inspirées par le monde de la musique; l'autre par la série des* Petits Théâtres *en terre cuite colorée (l'idée était déjà présente en 1932) puis dans divers matériaux.*

Pablo Picasso (1881-1973): Hibou – *1950/1951 – céramique peinte – 34 × 35 × 22 cm – Collection Marina Picasso*

*Pablo Picasso, peintre et sculpteur espagnol, après avoir accompli ses études artistiques en Espagne, s'établit à Paris et son atelier devint le point de référence pour les jeunes personnalités émergentes telles que Jacob, Jarry, Salmon, Apollinaire. Parallèlement à son activité de peintre se réveillait son intérêt pour la sculpture. En 1906-1907 il commença à travailler aux* Demoiselles d'Avignon; *c'est au cours de ces années que mûrit le mouvement cubiste qui trouvait son principal représentant et promoteur en la personne de Picasso. A partir de 1930, il reprit sans cesse la sculpture. En 1936, il fut nommé directeur du Musée du Prado par le gouvernement républicain; en 1937 il peignit* Guernica. *Les années suivantes et jusqu'en 1945, son œuvre fut empreinte des horreurs de la guerre. Sa ferveur se déchaînait dans les domaines de la céramique et de la lithographie. Après une période intense de participation à la vie politique internationale, l'artiste s'établit à Antibes, où son désir d'expérimentation des matériaux le conduisit à la terre cuite, à la céramique. A partir de 1961, il mena une vie recluse dans ses propriétés.*

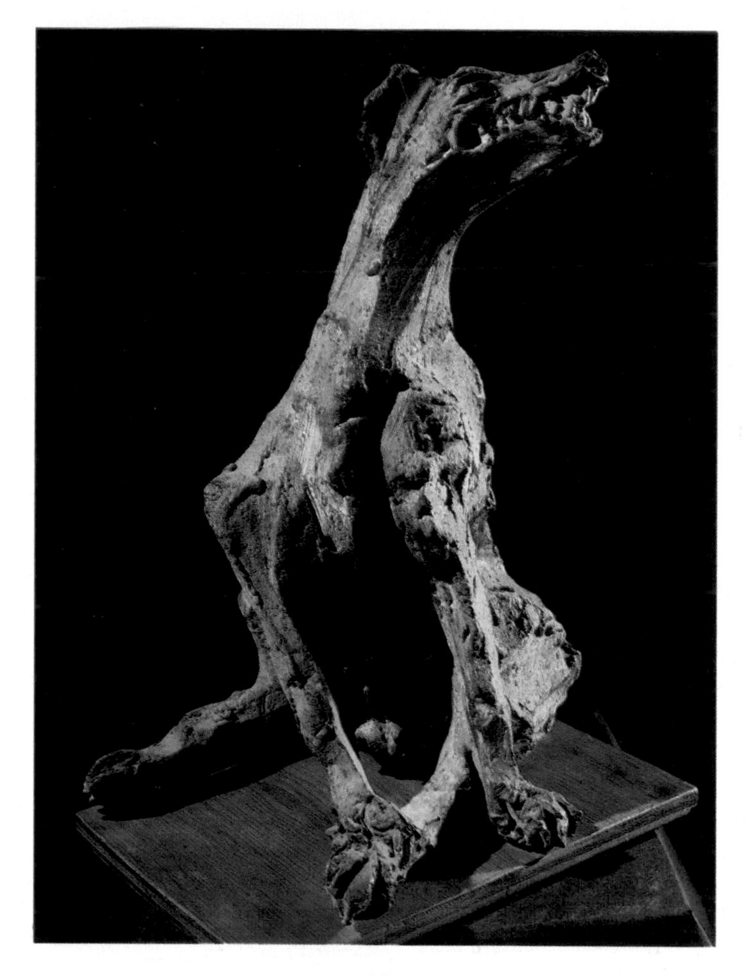

*Agenore Fabbri (né en 1911):* Le chien de la guerre *– 1952 – terre cuite polychrome – Milan, Collection privée*

*Agenore Fabbri, sculpteur, accomplit ses études artistiques à Pistoia et à Florence, et partit en 1935 pour Albisola en Ligurie, où il a travaillé comme modeleur dans une fabrique de céramiques. Après la guerre, il s'est affirmé avec une série de figures (surtout des animaux blessés) modelées avec un réalisme dramatique. Parmi ses œuvres:* La Mort du partisan *(1952),* Homme d'Hiroshima *(1964).*

## PREPARATION ET PROJET

Voyons à présent comment se mettre en condition, se préparer à travailler. Je ne parlerai pas du lieu où s'installer, de l'espace, de la manière et de l'endroit où mettre les outils, de la position à prendre ou de la façon de regarder. Tout cela ne sert à rien; chacun a sa manière propre liée à son caractère, son mode de vie et le lieu dont il dispose. L'endroit où travailler peut se situer n'importe où, il n'y a pas de règle. Le seul point fondamental qu'il faut garder présent à l'esprit est que la sculpture est par essence une chose immobile. Nous devrons donc nous ménager la possibilité de tourner autour d'elle sans la déplacer où la faire tourner, quelle que soit sa taille. Par conséquent, la lumière devra être pour le moins suffisante afin de bien la voir de tous côtés, quelle que soit la position adoptée pour travailler. En ce qui concerne le projet, la question est un peu plus complexe. Il est aisé de comprendre qu'à chaque fois que l'on veut réaliser un projet, le plus important est d'avoir une idée la plus précise possible. S'il s'agit d'une sculpture, les éléments et les aspects à considérer sont nombreux. Un projet exclusivement mental risque de faire perdre de vue l'une et l'autre question en la dissociant du tout: voilà pourquoi il est toujours conseillé de le reporter sur le papier, ce qui nous permettra d'achever de clarifier pour nous-mêmes notre intention et, en même temps, de voir et de considérer notre travail dans sa totalité. Un ou plusieurs dessins, en relation avec la complexité du sujet, donneront la possibilité de déterminer, de corriger et de mettre en relation réciproque la dimension globale, les proportions des différentes parties, qui doivent s'harmoniser entre elles et avec l'ensemble, la perspective, le poids des volumes et des masses, la dynamique de la forme et aussi la palette, le choix des coloris.

Ajouté à tout cela, il sera pour le moins opportun de considérer la destination finale de l'objet, du produit, etc., quel que soit le nom qu'on lui donne.

Les différences liées à l'emplacement de l'œuvre, qu'elle se situe dans un intérieur ou en extérieur, apparaîtront clairement à tous ou à la plupart.

Ce « comment » et ce « où » nous seront presque instinctivement suggérés par nos intuitions et notre sensibilité personnelle.

*Ci-dessus,*
*Giovan Pietro Lasagna:* Esquisse en terre cuite pour le relief avec Sisara et Jaël – *Milan, Musée du Duomo*

*A droite,*
*Giovan Pietro Lasagna:* Relief avec Sisara et Jaël – *1635/1640 – marbre – Milan, Duomo, Dessus de porte de la façade*

*A gauche,*
*Carlo Simonetta*: Esquisse pour le relief avec la naissance de San Giovanni Buono – *1690 – terre cuite – Milan, Musée du Duomo*

*A droite,*
*Carlo Simonetta et Stefano Sampietro:* Relief avec la naissance de San Giovanni Buono – *1693 – marbre – Milan, Duomo, Chapelle de San Giovanni Buono*

# LE MATERIEL, LES INSTRUMENTS

Depuis toujours et aussi loin que remonte la mémoire des peuples, un atelier qui se respecte doit être ordre, discipline et propreté. Il faudra toujours s'y tenir, tant comme un fait pratique que comme une ligne de conduite.

**Le matériel**

La terre est un mélange d'eau et d'argile qui, pour sa part, est une roche sédimentaire d'origine organique: par absorption de l'eau, celle-ci finit par former une masse plastique facile à manipuler et capable de garder la forme donnée même après séchage. Elle est principalement constituée de kaolinite (silicates hydratés d'aluminium), de silicium, d'aluminium, d'oxyde de fer qui lui donne après cuisson sa couleur rougeâtre caractéristique, et d'autres minéraux tels que le quartz et les carbonates. Ses principales propriétés concernent la plasticité, le durcissement, la rétraction, la porosité et la couleur.

La plasticité dépend essentiellement, outre la capacité à s'imprégner d'eau hygroscopique (qui provient de l'extérieur et ne fait pas partie de la structure chimique du composé), de la finesse des grains constitutifs et de la présence d'eau de constitution (molécules d'eau qui font partie de la structure du composé lui-même).
Le durcissement s'obtient à la cuisson, par élimination de l'eau hygroscopique, déjà au séchage, et de l'eau de constitution.
Le retrait (contraction de la masse et du volume) est consécutif à l'élimination de l'eau, de même que la porosité: la porosité est d'autant plus faible que le retrait est important.
La correction de ces phénomènes par adjonction d'éléments divers augmente ou réduit l'une ou l'autre des propriétés intrinsèques du matériau.
Il existe divers types de terres, qui diffèrent par leur composition, par les rapports quantitatifs des différents composants ou par la présence d'additifs, avec des caractéristiques à même de satisfaire les exigences les plus diverses liées à des réalisations particulières. Il serait quoi qu'il en soit inutile de fournir des indications détaillées et sophistiquées à l'endroit de semblables aspects « professionnels » et raffinés du matériau, au sein d'un discours tel que le nôtre, destiné aux débutants, donc n'ayant nul besoin de résoudre des problèmes liés à des applications spéciales ou insolites. Il n'est alors pas nécessaire, du moins pour les premières tentatives, de se poser le problème du choix de la matière première: la terre qui se trouve ordinairement dans le commerce conviendra amplement.

**Les instruments**

Quatre instruments, semblables à ceux illustrés aux pages 51 et 52, sont plus que suffisants pour modeler.
Ce sont habituellement les débutants qui se munissent d'outils inadaptés, des objets les plus inutiles et superflus, avec l'illusion qu'ils pourront obtenir des résultats meilleurs et immédiats par la seule possession d'un outillage abondant et démonstratif. Il est en réalité inutile et rien n'est moins pratique que d'accaparer ces instruments sophistiqués qui dénoncent cette mentalité de « dilettante », celui-ci attri-

*Carrière d'argile voisine de Porto Torres en Sardaigne*

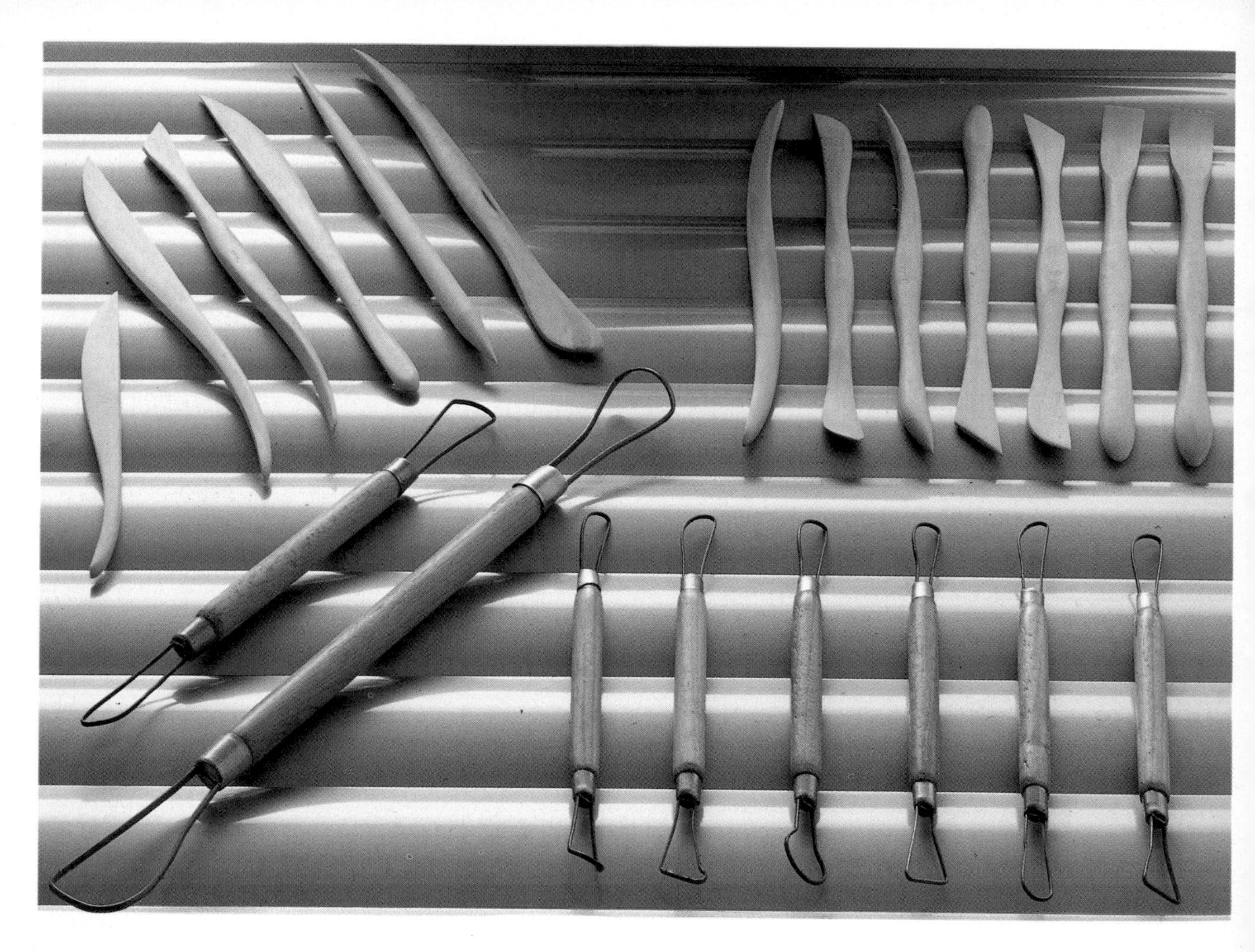

buant ingénuement à l'outillage ce qu'il ne possède encore ni mentalement ni techniquement. Phénomène aisé à observer chez l'enfant qui, alors qu'il dessine et ne parvient pas à réaliser ce qu'il souhaite, change perpétuellement de crayon.
Nous aurons donc soin de nous munir de:

*boutonnières*: deux ou trois de formes et de dimensions différentes suffiront (boutonnière est le terme argotique; dans les catalogues du commerce on les trouvera sous le nom de mirettes);

*ébauchoirs*: une paire d'ébauchoirs ou de spatules en buis à pointe plus ou moins arrondie;

*spatule*: ou râcloir de fer (tel que celui utilisé habituellement par les peintres en bâtiment);

*fil de cuivre*: un fin fil de cuivre pour couper la terre (ø 1 mm).

Et c'est tout. L'entretien de l'outillage est confié, tout comme les parterres de fleurs, à l'éducation du citoyen...

## UN INSTRUMENT TRES SPECIAL: LA MAIN

Il me semble juste, et même de mon devoir, après avoir énuméré les quatre outils utiles au modelage, de m'attarder un peu sur l'instrument le plus important: la main.
Dans l'action qui consiste à donner la forme, la main est le prolongement fidèle du cerveau, qui élabore rapidement et nécessite une exécution en conséquence.

Modeler consiste essentiellement à ajouter et à enlever, tandis qu'il arrive fréquemment de constater que le manque d'expérience amène à déplacer la terre, en faisant travailler ses mains de manière désordonnée pour aboutir au contraire du résultat souhaité: donner forme. Il arrive souvent d'entendre parler du bon positionnement des mains d'un pianiste, par exem-

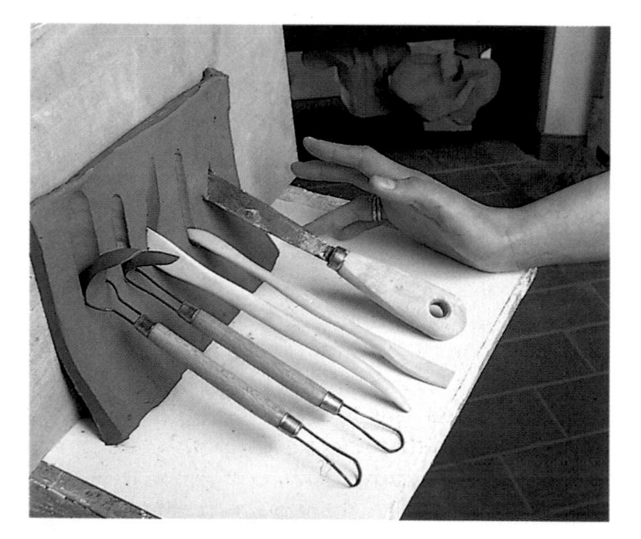

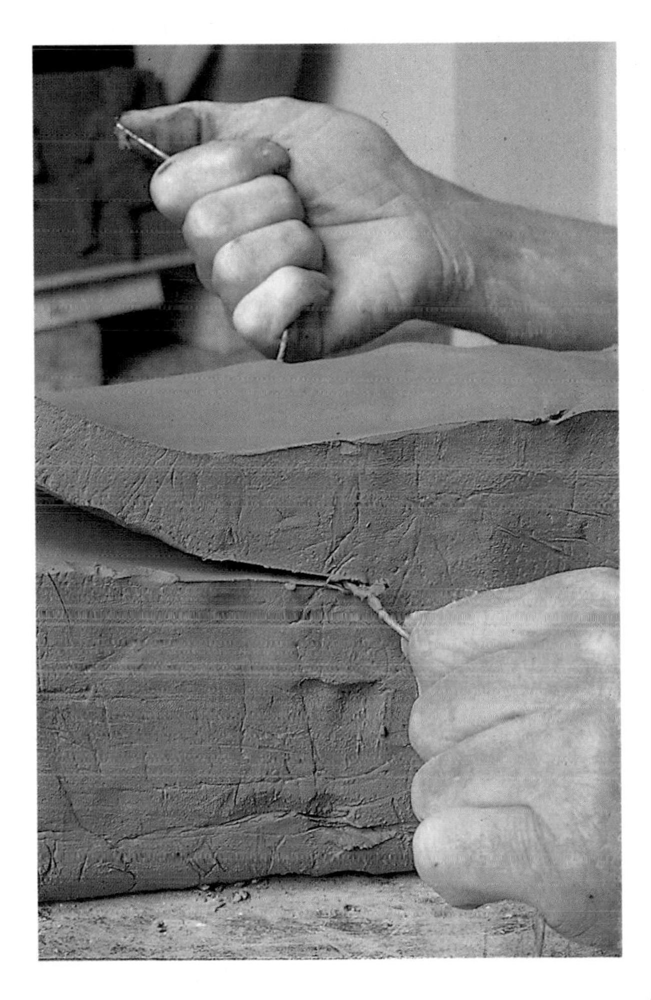

ple: poignet droit, mains dans le prolongement de l'avant-bras. Il s'agit d'une attitude qui s'acquiert dès les débuts, en exécutant des gammes et des exercices simples, ce qui permet de reconnaître au premier coup d'œil un interprète qui a été à « bonne école » d'un dilettante ou de celui qui aura pris un mauvais pli. Le même principe vaut pour celui qui s'attèle au modelage. Nous avons déjà dit combien il importe de partir du bon pied, d'agir avec rigueur et méthode, surtout au début, afin que la bonne manière de s'y prendre des débuts devienne avec le temps habitude, geste spontané, caractère spécifique de notre mode de procéder. Un apprentissage erroné sera ensuite difficile, sinon impossible à corriger, empruntant une voie qui deviendra âpre et infructueuse, susceptible de nous faire perdre beaucoup de temps et d'énergie si nous n'avons pas de suite emprunté la bonne voie.

Avant tout, signalons qu'outre la surface de la paume de la main, on utilise essentiellement deux doigts: l'index et le pouce.

Il est vivement déconseillé de malaxer la terre avec toute la main, sans bien savoir où l'on va. Les fonctions que doivent remplir ces deux doigts sont multiples et c'est pour cette raison qu'il faut apprendre à les coordonner: au moment où l'on juge du type d'intervention qui

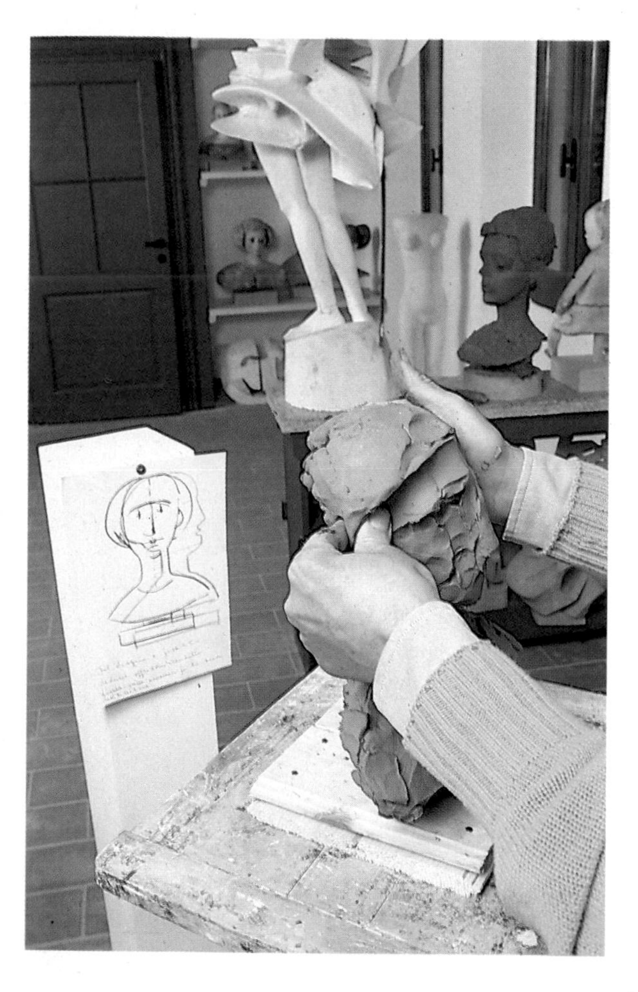

convient, le geste doit être exécuté en conséquence, être précis, être le geste nécessaire et non pas un autre, au hasard. Les doigts dessinent, déterminent des plans, influent, sillonnent, ajoutent, ôtent, mais surtout « sentent ». Voici ce qui fait de la main l'instrument le plus précieux que l'on puisse employer. N'importe quel autre instrument, aussi adéquat qu'il puisse être pour l'usage que l'on compte en faire, ne sera jamais rien d'autre qu'un « prolongement », un accessoir de la main, sourd et passif.

La grande sensibilité tactile dont est dotée la main lui permet d'évaluer, de peser, de mesurer, de connaître l'état de la matière qu'elle touche, à l'écoute de laquelle elle se trouve. Elle est non seulement capable de recevoir et d'interpréter les indications transmises de l'intérieur ou par la volonté, comme on voudra, mais elle est aussi et surtout capable d'en recevoir et d'en transmettre à bon escient. La main réalise la fusion entre l'extérieur et l'intérieur, entre l'objectivité de la matière sur laquelle elle agit et notre « intérieur ». Elle reçoit et

*L'image de gauche met bien en évidence la position des mains: l'une comme instrument, l'autre comme soutien, ce qui ne se produit pas dans les deux illustrations de droite.*

fournit des informations, réceptionne et restitue des stimulations et des indications. Mais son intelligence ne se limite pas à cela; la main est en fait en mesure d'avoir de la mémoire et de se constituer une expérience. C'est grâce à

*Dès le début du modelage proprement dit, il convient de prêter attention à la bonne position des mains. Nous remarquerons qu'à chaque étape du travail, une seule main sert d'instrument, l'autre étant cependant toujours active en tant que guide et soutien.*

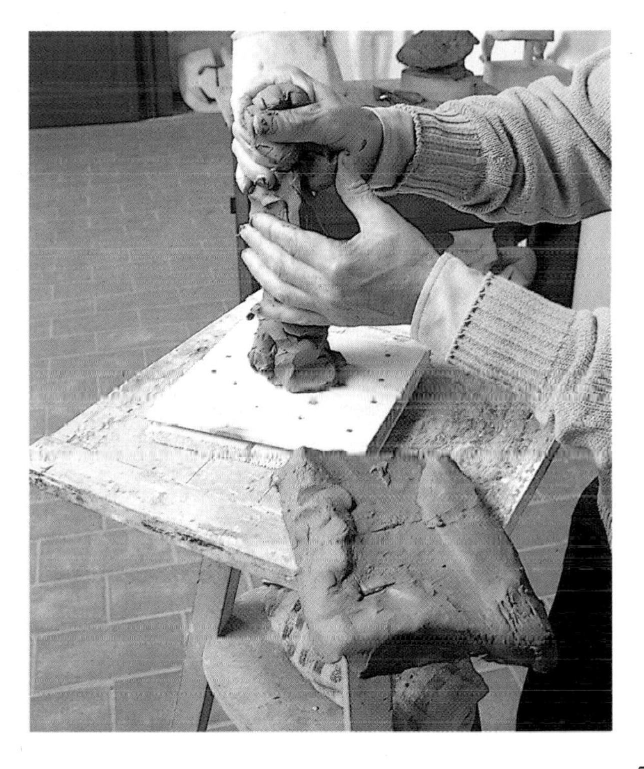

sa sensibilité tactile qu'elle apprend à évaluer l'humidité, la consistance, l'état du matériau sur lequel agir consécutivement, c'est-à-dire en relation avec les données immédiates, et en même temps à la « sagesse » accumulée lors des expériences passées.

Tout ceci fait de nos mains des instruments précieux, intelligents et préparés.

L'instrument n'est nécessaire que lorsque la main, de par sa constitution, ne peut pratiquer par elle-même certaines interventions: faire une incision mince et profonde, extirper de façon nette un morceau de terre, enfoncer avec force; avec l'aide de l'instrument, elle deviendra coupante, pointue, effilée, pénétrante, mais le résultat, l'issue du geste et de l'emploi qu'elle saura faire des moyens mis à sa disposition ne dépendront que de sa sensibilité.

L'important est de maintenir une coordination directe entre la main et la pensée, le geste et la volonté, l'action et la connaissance de ce qui est nécessaire. Il est inutile de se précipiter sur la terre en posant les mains ça et là sans qu'il y ait une logique, en procédant à tâtons et en attendant que, à force d'insister, la forme voulue soit enfin à notre portée. Il peut arriver que le hasard produise des effets ou offre des suggestions utiles (il dépendra de l'intuition de chacun de les mettre à profit), mais cela est rare et fortuit. Rien ne doit être laissé au hasard si l'on désire concrétiser une idée, un désir. Au moindre geste de la main devra correspondre une pensée qui la guide, une impulsion dictée par la logique ainsi que par la sensibilité et l'expérience. Il faudra donc parvenir à un échange étroit et permanent, à une coordination entre l'œil et la pensée, et le maintenir.

Rien d'autre ne sert, sinon que ces trois « points » restent toujours en relation l'un avec l'autre. Ceci étant dit, je crois qu'il est temps de mettre la main « à la pâte », de commencer à parler de la « façon de faire ».

*Le bon emploi de la main-instrument est bien illustré par ces deux images. On remarque le pouce appuyé contre la tête afin de faire office de guide dans l'opération qui consiste à couper, ce qui n'est pas le cas pour les illustrations des pages 60 et 61.*

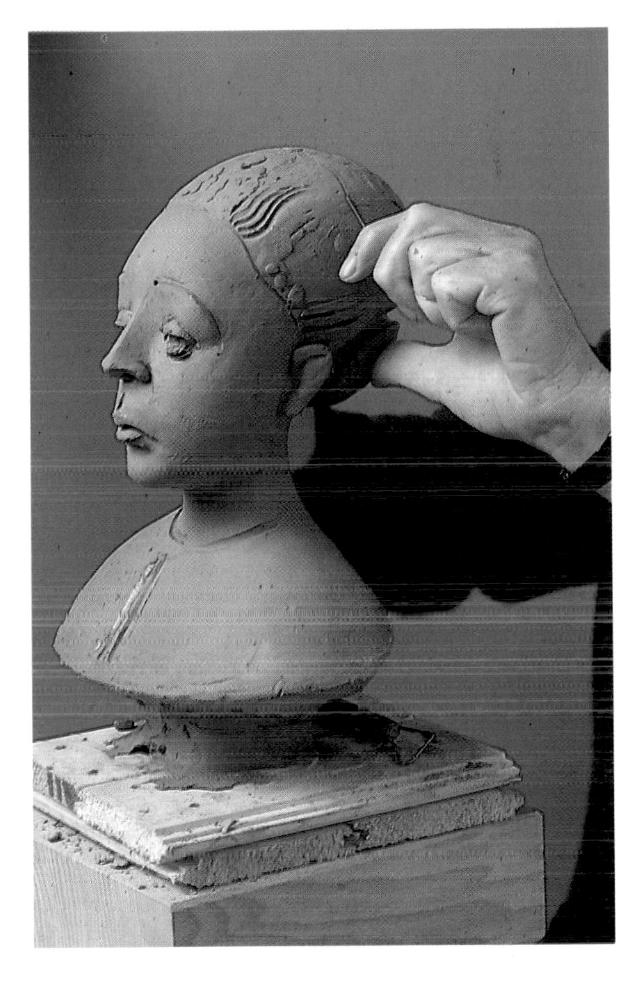

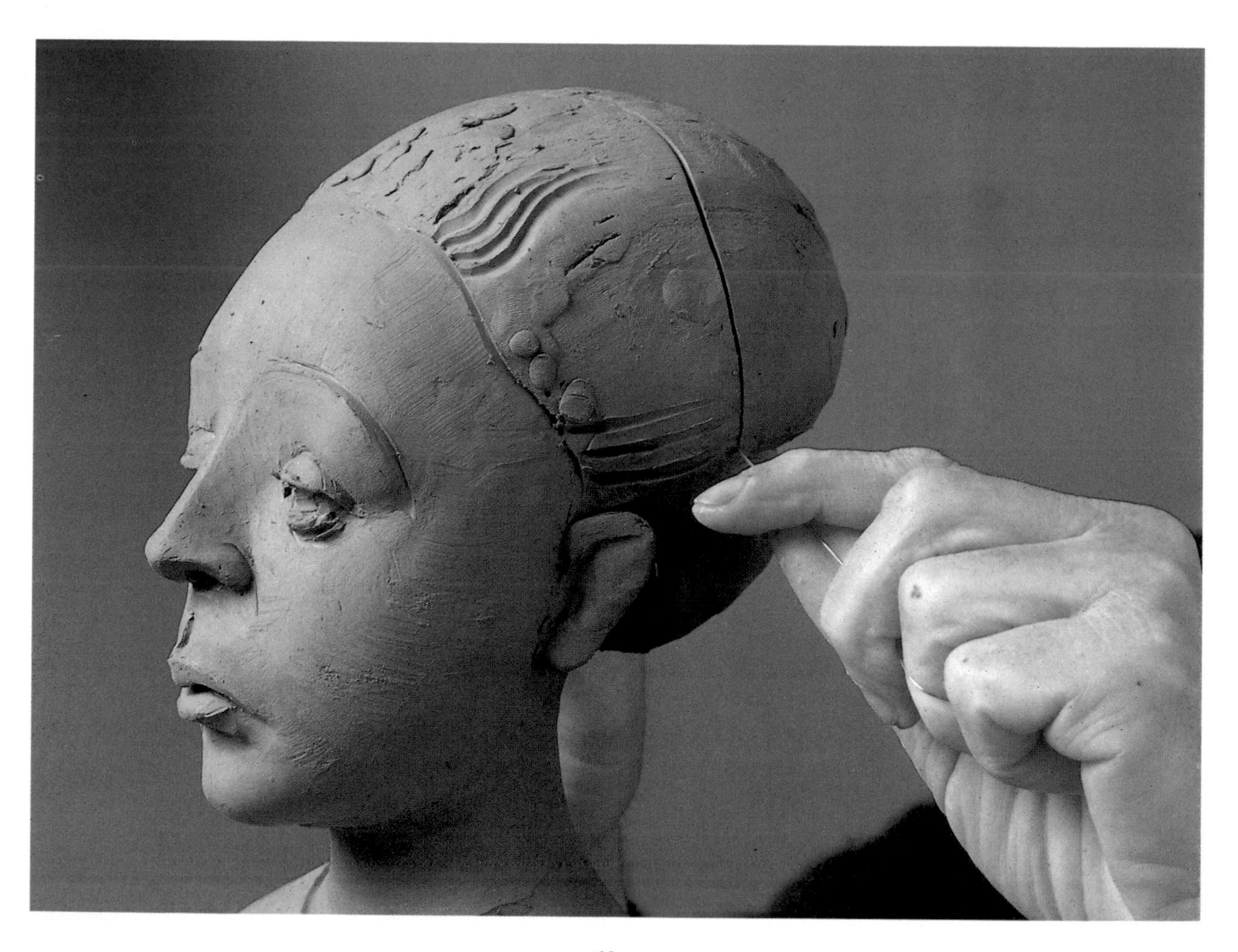

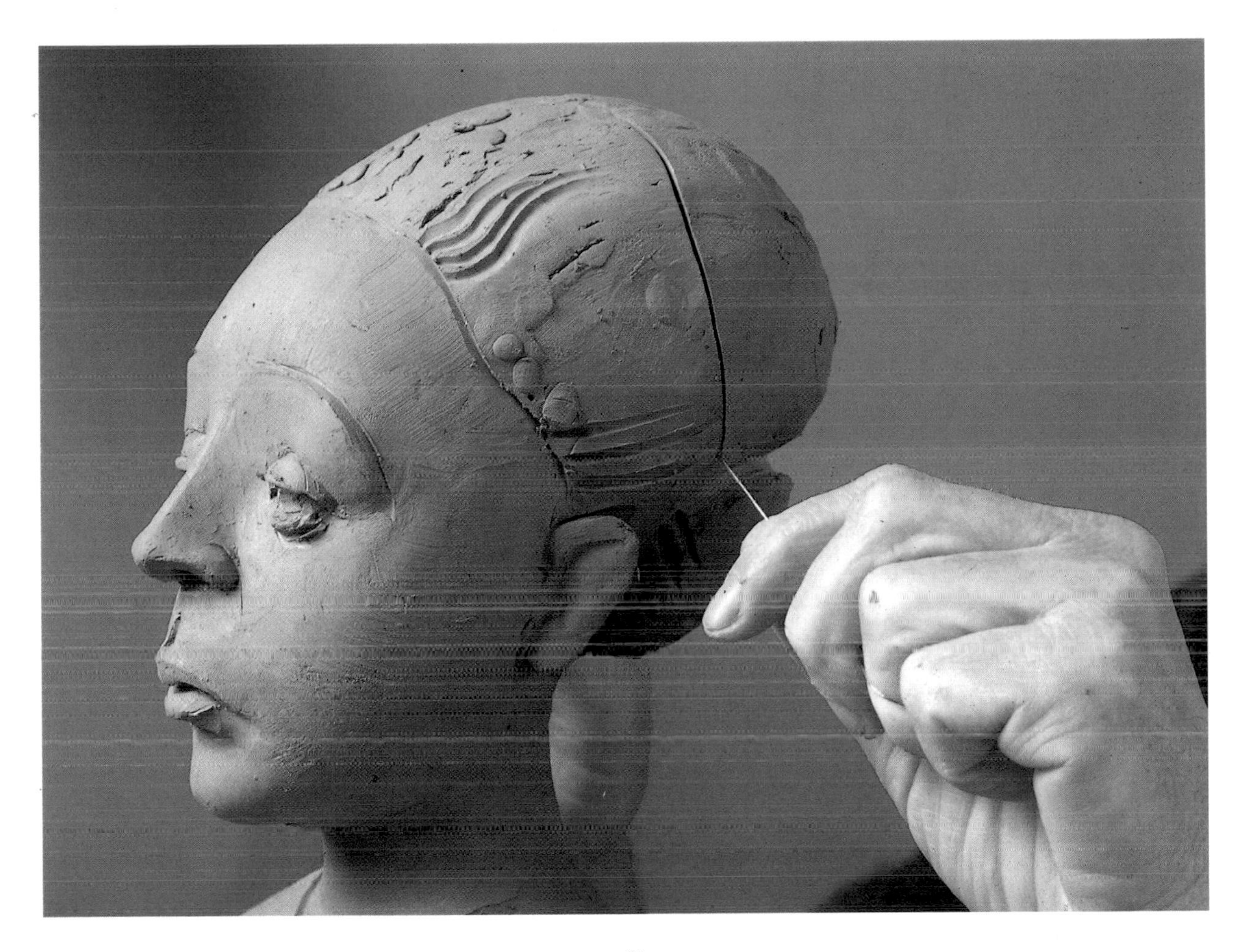

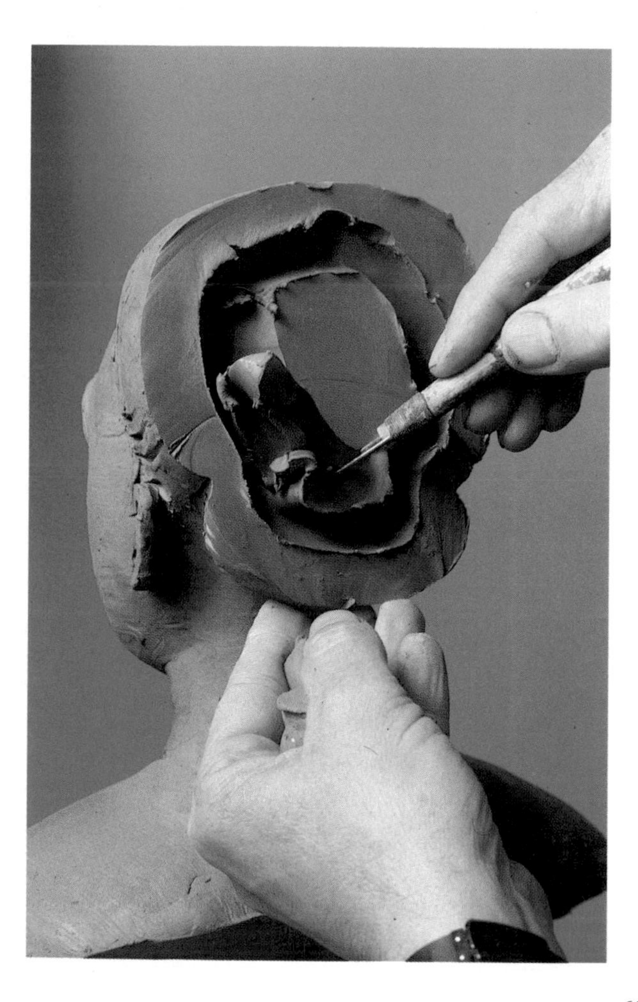

*Les illustrations qui suivent documentent avec insistance le concept de main en tant qu'instrument. On peut par ailleurs noter clairement que l'autre main est toujours active, à son tour comme instrument venant soutenir l'action de l'autre.*

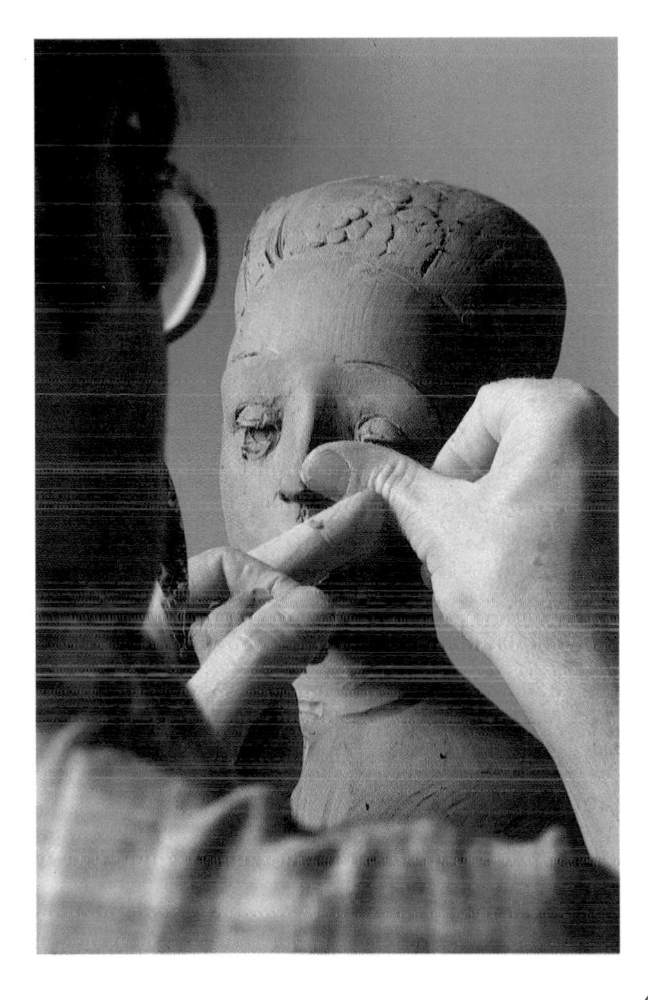

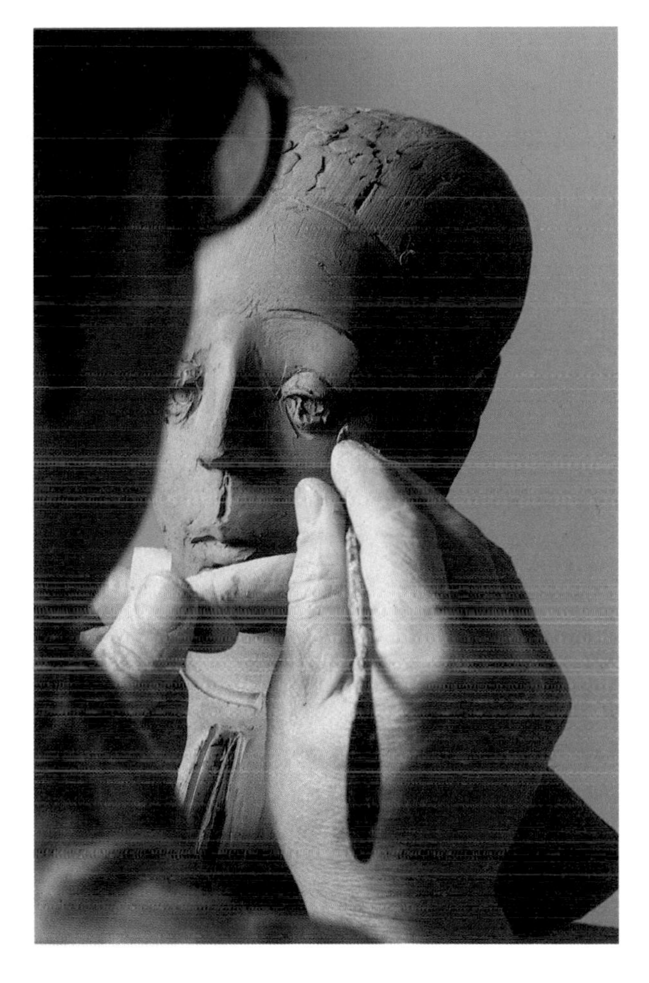

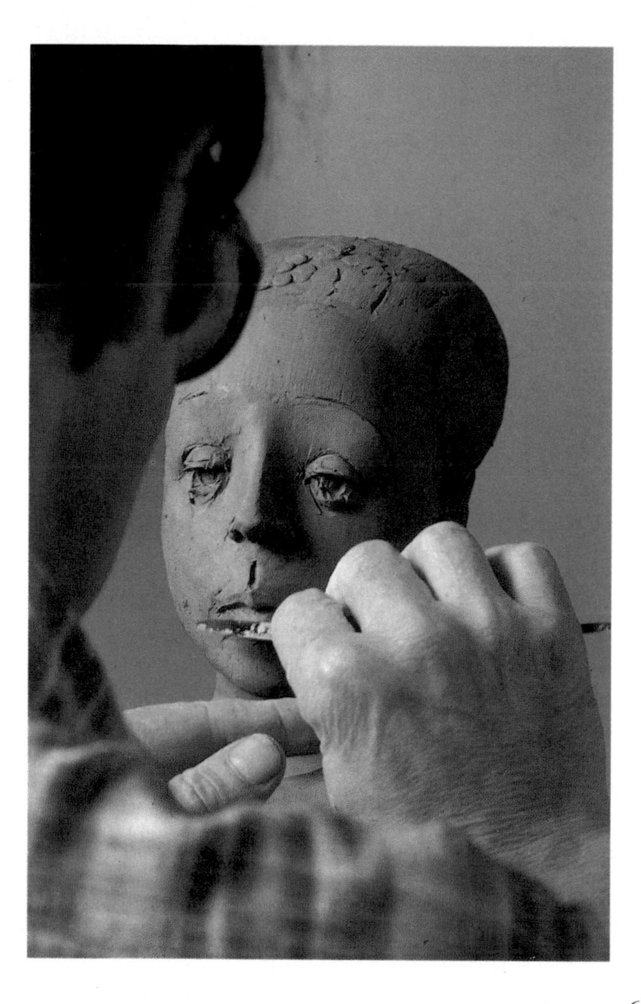

# NOUS POUVONS COMMENCER: COMMENT MODELER L'ARGILE

Il me semble superflu de donner l'éthymologie du verbe. Modeler signifie, pour simplifier, donner forme. C'est en substance l'opération qui, par la manipulation d'une matière plastique, dans le cas présent l'argile, rend visible, tangible une idée, un contenu proprement abstrait. Nous sommes nous-mêmes le fruit, d'après ce que nous en savons, d'une séance, désormais lointaine, de modelage (*Genèse*). Le fait de modeler, de donner une forme à une matière maléable, est instinctif chez beaucoup d'entre nous: il suffit de penser à ceux qui, dès l'enfance, se plaisent à façonner avec de la terre ou une autre matière plastique, où à la grand-mère qui fabrique du pain et des gâteaux secs aux formes variées, parfois bizarres ou amusantes. Et il me semble clair que ceux qui, se laissant porter par une impulsion spontanée, prêtent un intérêt à ce manuel, sont de cette « race », démontrant ainsi de manière évidente leur prédisposition.

Posséder, ressentir le désir et même le besoin d'agir constitue le bon point de départ, et certainement la motivation la plus authentique pour entreprendre cette activité.

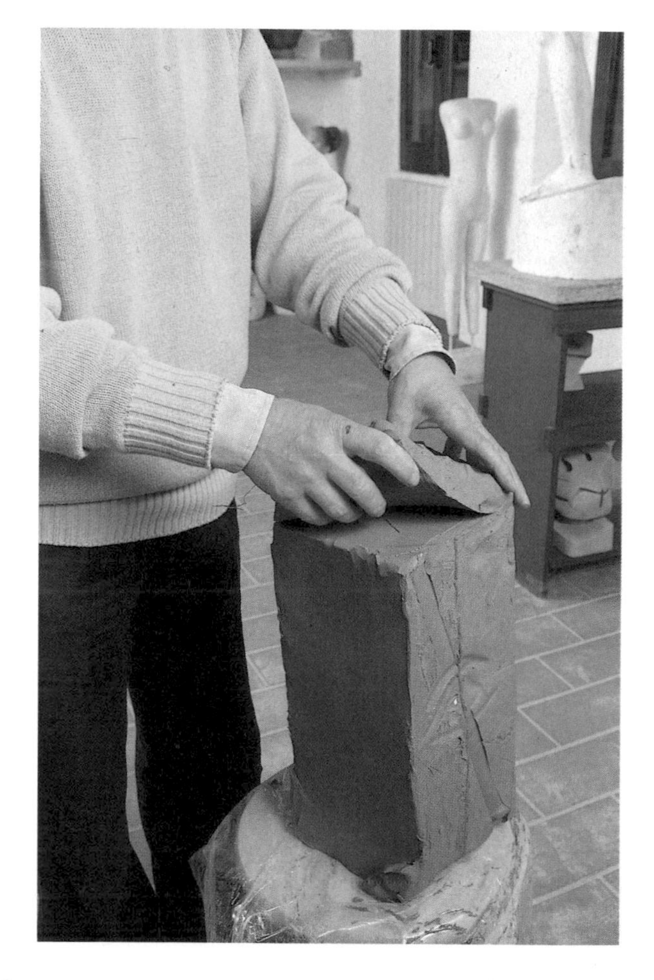

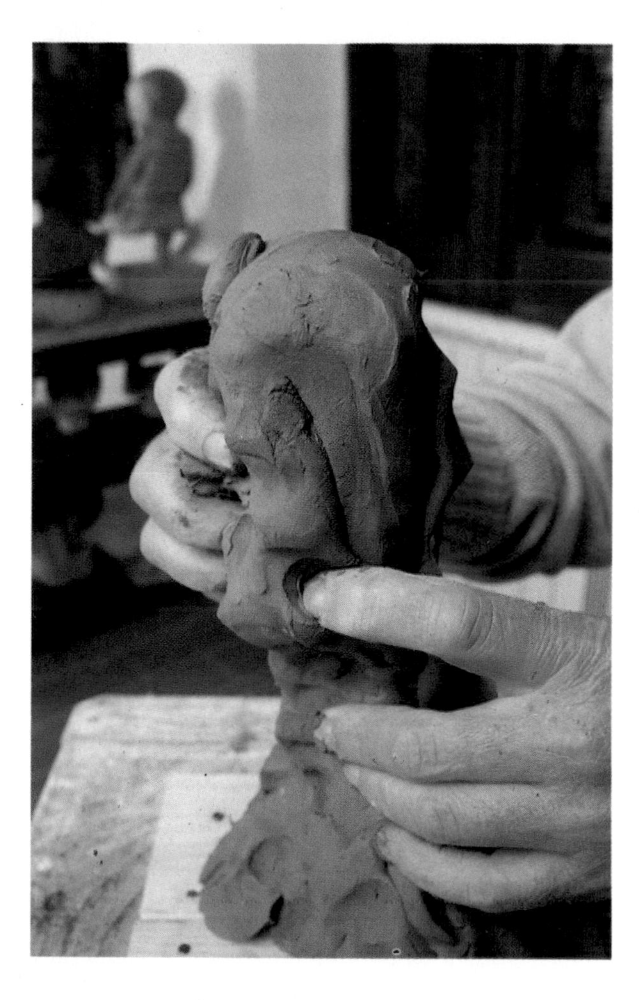

Il nous reste à présent à apprendre avec patience, humilité et orthodoxie ce que sera la façon de procéder afin d'aboutir presque immédiatement à un résultat.
Comme nous le verrons, l'explication du « comment s'y prendre » ne consiste pas en un traité verbal, une leçon au sens le plus strict: elle a été conçue, structurée et réalisée comme un véritable documentaire. Il s'agit d'une large séquence détaillée de photographies qui apportent de façon claire et synthétique toutes les indications et les données sur que faire et comment le faire pour chaque phase du travail. Nous verrons illustré l'abc, les éléments de base du modelage. Je suis en effet convaincu que l'exemple pratique, la possibilité de voir, constituent la méthode didactique la plus efficace et la plus directe.

**Une tête en ronde-bosse**

Nous pouvons prendre le premier exemple. Il m'a semblé approprié de commencer par modeler une tête en ronde-bosse, sachant parfaitement que c'est le sujet le plus courant. Lorsque vous aurez la possibilité de visiter un lieu de cuisson céramique, vous verrez que les sujets réalisés par les dilettantes, je préfère pour ma part les appeler futurs compagnons d'atelier, sont en grande partie des têtes. Il y a de

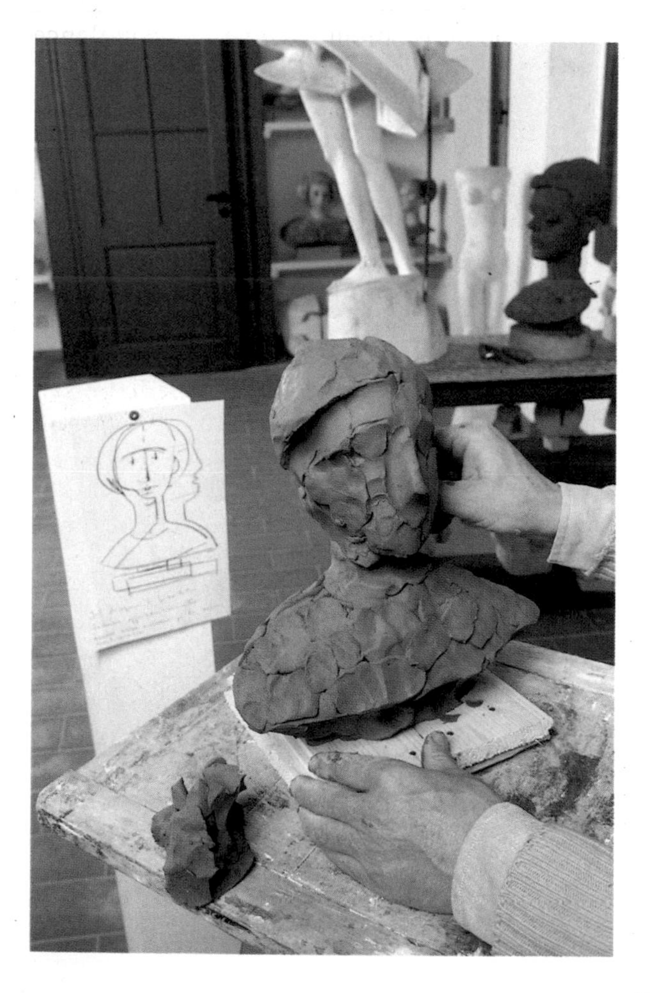

quoi se demander pourquoi! Je pense que ceci est dû au fait que nos compagnons d'atelier croient, peut-être de manière ingénue, pouvoir obtenir un résultat immédiat en s'attaquant à ce qu'ils pensent connaître le mieux, l'image qui leur est la plus familière: le visage.

La réalité est autre: rien n'est plus fascinant, mais aussi plus difficile et absorbant qu'un visage, en perpétuelle mutation toujours différent dans son inépuisable richesse d'expressions, d'attitudes, parfois dûes au seul regard, de nuances presque imperceptibles. Il est très facile de comprendre combien tout se complique dans le cas où la reproduction d'une physionomie ne se contente pas d'être générique mais se veut un portrait.

Je crois que quelques mots à ce sujets sont nécessaires.

Le portrait est sans nul doute, paradoxalement, une « violation ». C'est la tentative, parfois vouée à l'échec, de saisir des moments, des états d'âme, que le sujet pris pour modèle laisse entrevoir, transparaître fugacement, le temps d'un éclair. Ces brefs moments, ces changements qui alternent, traduisent le caractère de la personne. En se disposant à portraiturer un quelconque sujet, et non pas seulement un visage, on devra, dans la mesure du possible, ne pas se limiter à rendre les apparences:

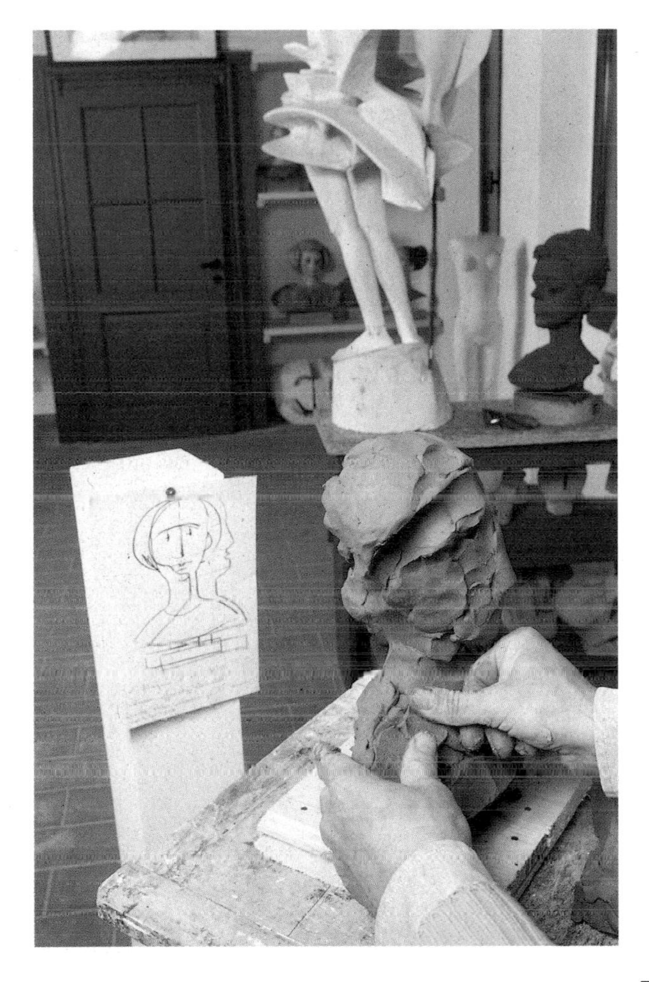

sous peine de n'obtenir qu'une vraisemblance qui, même si elle est satisfaisante, ne pourra jamais constituer une enquête, une introspection. Il est clair que voulant reproduire les traits avec fidélité, il suffirait d'en prendre l'empreinte (le Pop Art nous en a fourni des exemples en quantité); il est cependant vrai que de semblables opérations ne nous apporteront jamais le témoignage mystérieux et insondable de la chose vivante. Celui-ci ne peut être obtenu, quand bien même au travers de l'imitation et de l'artifice, que grâce à la médiation de celui qui voudra et saura regarder, dépassant les limites d'une réalité apparente. Cette conception du portrait est encore plus valable aujourd'hui où sa fonction a changé.
A une certaine époque, portraiturer une personne avait une valeur documentaire, il s'agissait de transmettre une image, de fixer et de

*Il me semble utile de donner à nouveau un exemple de la main jouant le rôle d'instrument car, même si on l'a déjà fait précédemment, ceci nous permet de la voir agir consécutivement à l'action nécessaire.*

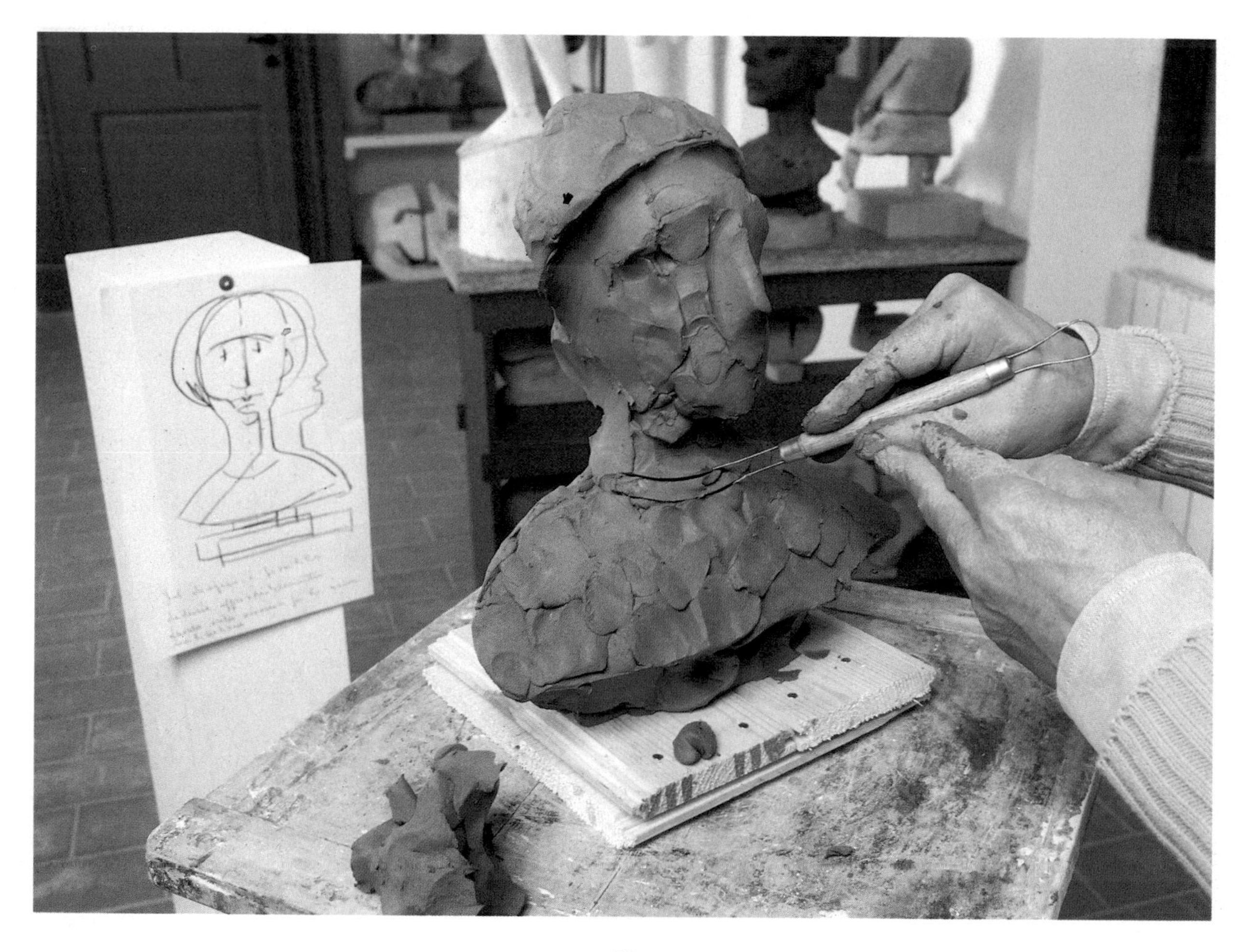

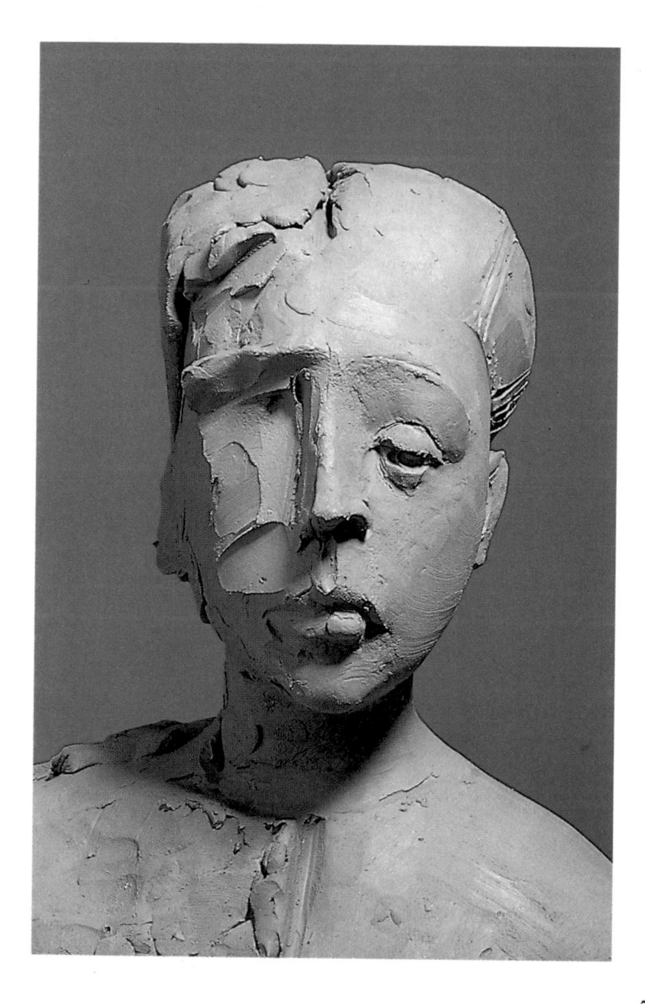

*Devant interrompre le travail, l'isolement du modelage est nécessaire afin d'éviter que les surfaces ne commencent à sécher ce qui mettrait en péril la poursuite du travail. Pour cela, il suffit de couvrir le tout avec un linge mouillé et essoré, en tâchant de respecter le plus possible les surfaces (à gauche). Il faudra recouvrir ultérieurement à l'aide d'une feuille de plastique, en ayant soin de la fermer à la base, évitant ainsi que l'air ne s'infiltre à l'intérieur (à droite).*

maintenir vivant un souvenir. Le portrait était mémoire historique et familière, il était la preuve qu'une personne avait existé et cela de telle et telle manière, dans tel lieu, entourée de ses objets familiers qui souvent apparaissaient reproduits, soulignant le rôle et le rang social. Celui qui possédait et pouvait se permettre d'être portraituré, de par son rang et par tradition, était aussi celui qui pouvait se permettre de perpétuer son souvenir de façon impérissable.

A présent, le monde a profondément changé quant à ses usages et ses rapports sociaux, mais surtout quant aux moyens techniques dont il dispose. La fonction que remplissaient les portraits d'une époque est en grande partie assumée, depuis plus d'un siècle, par la photographie, à laquelle nous confions souvenirs, mémoires, témoignages, qu'elle n'interprète pas, mais qu'elle reproduit fidèlement, avec minutie. Voici donc qu'à mon avis, si l'on accepte le défi qui consiste à faire un portrait, la recherche ne devra guère se différencier de l'enquête psychologique, à laquelle il ne faudra pas omettre de donner un bon support plastique.

Ceci bien sûr si vous désirez tenter de réaliser ce qui depuis toujours se définit en tant que sculpture.

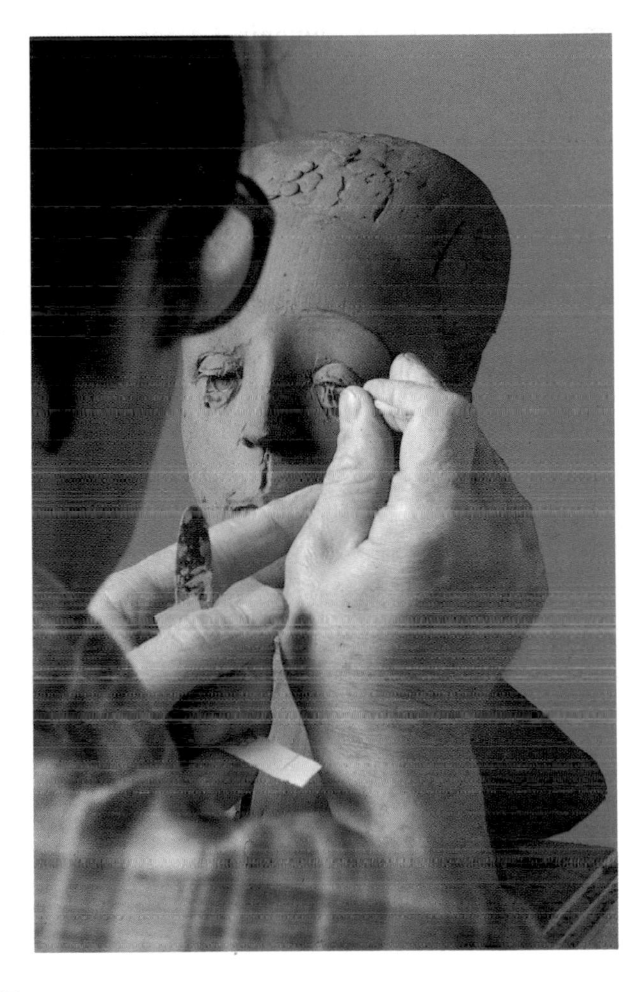

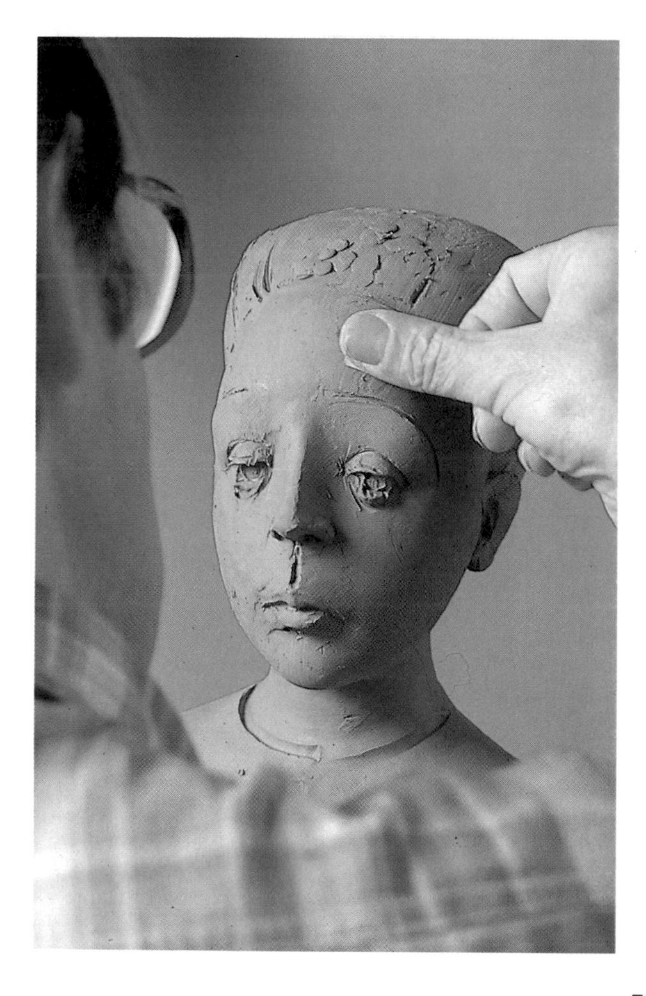

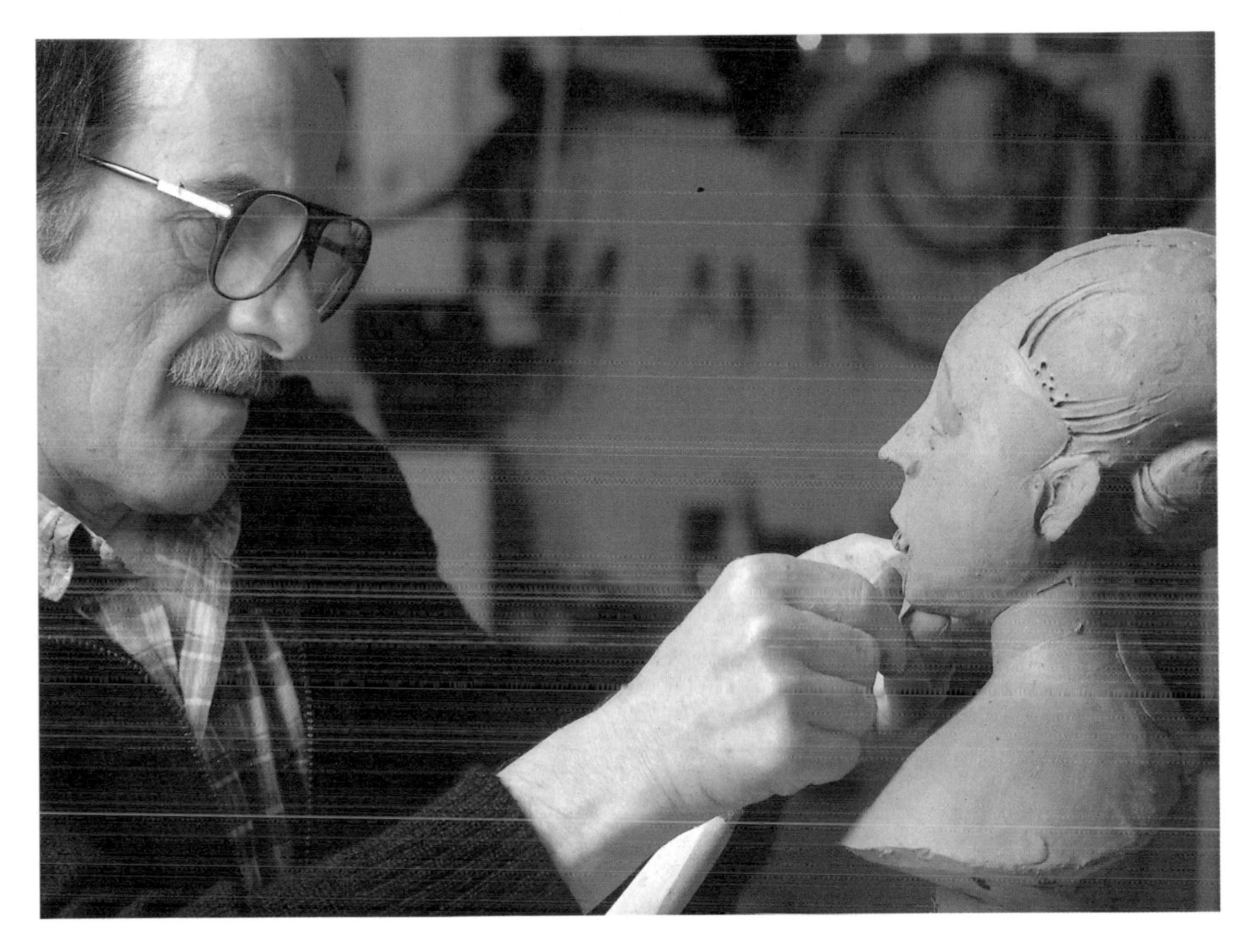

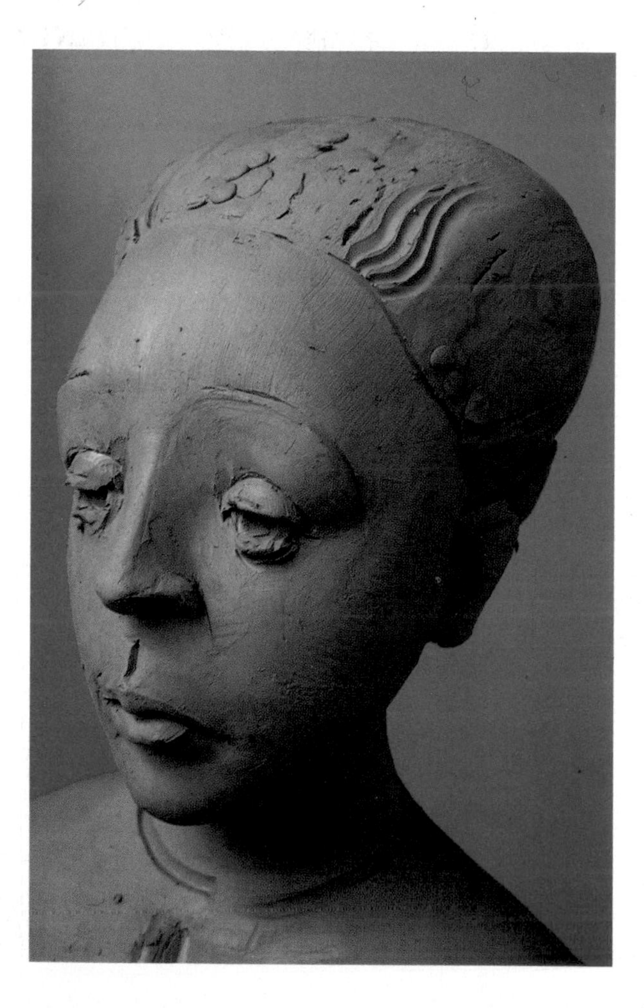

*L'image de gauche permet de voir la tête en ronde-bosse, prête pour la phase de préparation à la cuisson, phase qui va suivre immédiatement.*

## Le bas-relief

La réalisation d'un bas-relief n'est qu'apparemment plus simple que celle d'une forme en ronde-bosse. Elle l'est cependant à coup sûr en ce qui concerne certains aspects pratiques, mais sûrement pas pour ce qui est de la partie conceptuelle. On peut facilement déduire des photographies que les opérations pratiques nécessaires sont presque élémentaires: n'importe quel plan peut servir de support pour soutenir la couche d'argile sur laquelle nous composerons notre future représentation. Une fois ce plan d'argile constitué et bien nivelé, on commencera à dessiner (dessiner, toujours dessiner) le sujet. Nous superposerons de la terre jusqu'à atteindre le degré de relief souhaité.

On a dit que le bas-relief, par son aspect « aplani », donne l'illusion d'être plus facile à exécuter. Il n'en est rien. Il correspond en effet à une importante réduction de toutes les valeurs propres à une sculpture en ronde-bosse, il en est en substance la synthèse dans l'espace restreint, confiné, qui lui est concédé. Par ailleurs, le volume octroyé étant parfois minime, les différences entre les plans deviennent si infimes qu'elles en paraissent inexistantes. Ces différences doivent cependant toutes être maintenues même si elles sont contractées et

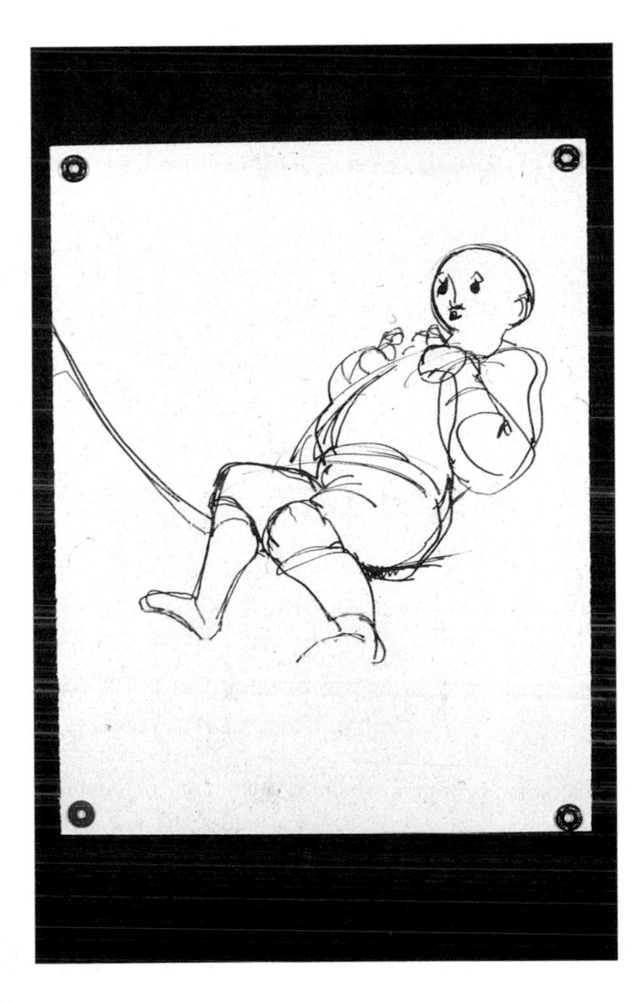

réduites au minimum, sans violer en l'altérant le plan sur lequel la forme est placée, mais en recourant plutôt à des solutions perspectives. Comme nous le savons parfaitement, la perspective appartient en propre au dessin et composer, exprimer au moyen de la méthode (car c'est de méthode dont il s'agit) du bas-relief exige des capacités en dessin pour le moins certaines. Le bas-relief pourrait être défini comme la synthèse de l'artifice, de l'illusoire propre au dessin et du caractère concret et tangible de la sculpture: ceci naît de la symbiose entre le volume modelé, qui est une réelle troisième dimension, et la perspective, qui en est, en fait, la représentation rationalisée, l'illusion optique. C'est pour cette raison qu'il faut garder présente à l'esprit l'exhortation à dessiner, toujours dessiner.
Nous pourrions ensuite observer l'œuvre de celui qui fut et demeure le plus insigne interprête de cette forme d'expression plastique: Donatello. Sans oublier Pisanello, avec ses merveilleuses médailles.

*Les illustrations des pages précédentes ainsi que celles-ci documentent les diverses phases de réalisation d'un bas-relief: de l'idée esquissée sur une feuille de papier, puis reportée sur un plan d'argile, c'est-à-dire modelée et finalement passée au four.*

## LA CUISSON

L'étape qui succède immédiatement au modelage est la préparation de la terre en vue de la cuisson: il faut en effet « sauvegarder », protéger, conserver en l'état sa forme et ses surfaces. La cuisson rend le matériau beaucoup plus résistant et léger, et lui confère en outre sa couleur caractéristique, qui vire du gris au rouge. Il n'est pas toujours suffisant d'attendre que la terre sèche, pour ensuite la cuire directement. S'il est vrai que de petites sculptures (10/15, 25/30 cm) peuvent être cuites en restant pleines, c'est-à-dire avec la totalité de la matière employée lors du modelage, dans le cas de travaux de dimensions supérieures, le procédé d'évidement est rendu nécessaire. Nous allons voir ce dont il s'agit et son utilité.

Evider une sculpture signifie extraire la terre de l'intérieur, jusqu'à ce qu'on atteigne une épaisseur la plus homogène possible, de l'ordre de 1 à 2 cm.

Ceci a pour but d'éviter les éclatements en cours de cuisson: ce type d'incident peut en effet se produire très facilement et il est dû dans la plupart des cas à des résidus d'humidité à l'intérieur de la terre ou à la présence d'impuretés telles que des fragments de plâtre, des esquilles de bois ou de métal, ou n'importe quel autre matériau qui, à la suite d'une inattention, peut se retrouver à l'intérieur. Voici que l'exhortation à l'ordre, à la discipline et à la propreté, liée à la pratique d'atelier, se révèle très utile, précisément afin d'éviter ou de limiter au maximum les risques d'incidents qui pourraient rendre vain tout notre travail.

L'évidement est une opération un peu délicate, mais avec quelque pratique elle ne posera plus de problème.

La première chose à faire consiste à pratiquer une incision, grâce au fil de cuivre, de manière à obtenir une espece de fenêtre, une calotte. Je pense qu'il est évident que l'incision doit être faite là ou il n'y a aucun risque d'endommager des zones importantes du modelage: il faudra donc éviter les parties les plus délicates comme le visage pour un portrait. Le geste devra être rapide et sûr afin de ne pas créer de dentelures ou de dommages aux deux faces séparées, étant donné qu'après l'évidement, celles-ci devront être à nouveaux parfaitement jointes. A ce stade, en nous servant d'une mi-

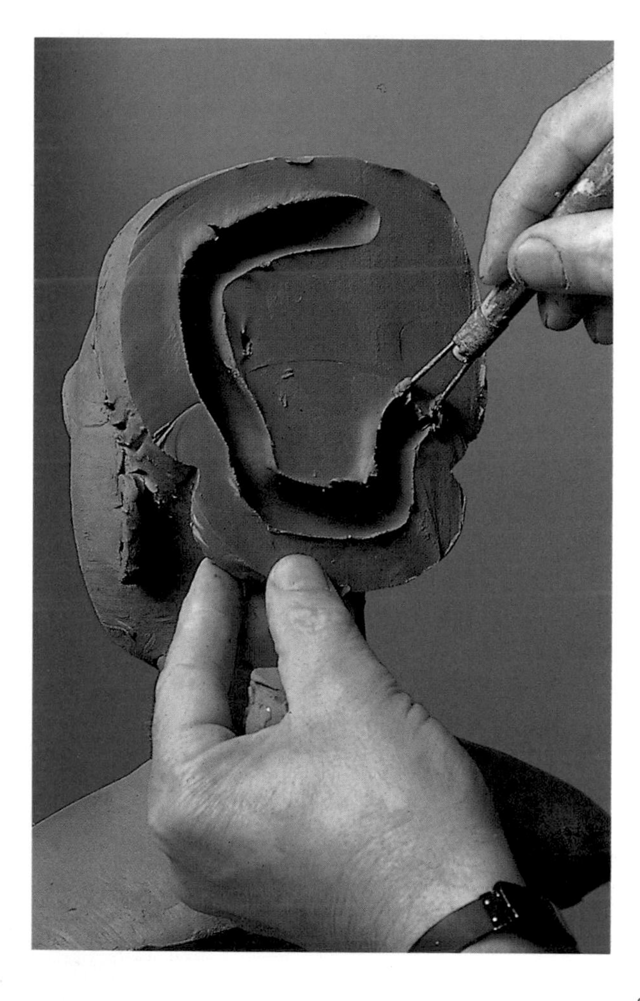

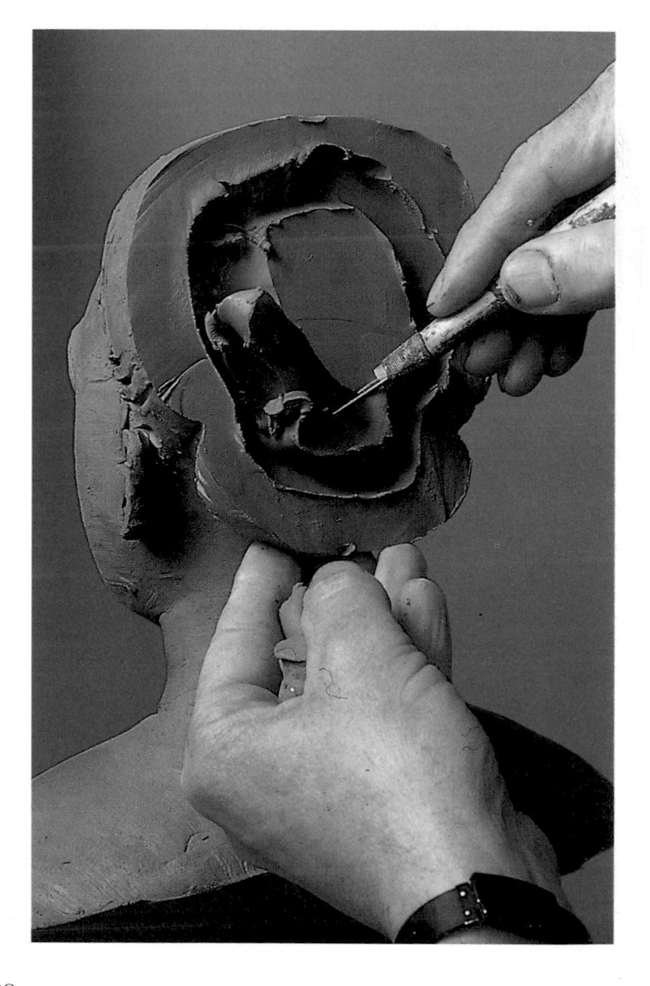

rette, nous ôterons l'argile à l'intérieur de la calotte, avec soin et délicatesse, jusqu'à l'obtention de l'épaisseur voulue.
Ceci étant fait, nous la déposerons sur un plan et procèderons à l'évidement de la partie principale. A un certain moment, nous atteindrons le support interne: il faudra bien l'isoler et lorsque nous aurons enlevé la terre nécessaire, nous aurons soin d'interposer une boule de terre entre la surface interne de la sculpture désormais presque vide et la partie supérieure du support. Après quoi, c'est-à-dire une fois la sculpture et le support à nouveau en contact, nous extirperons la terre qui aura adhéré au support interne dans la partie inférieure. Une fois tout le surplus enlevé, il faudra réassembler les parties évidées. Nous aurons pour cela préparé dans un récipient de la barbotine: c'est-à-dire que nous aurons délayé un peu de terre dans un peu d'eau, obtenant ainsi une bouillie liquide comme de la pâte à frire. Ce composé servira d'adhésif, de colle; nous en enduirons les deux surfaces coupées de la calotte et de la partie principale qui devront être à nouveau parfaitement jointes, telles que les pièces d'un puzzle. Une fois le tout remis en place, nous nettoierons et retoucherons la ligne de soudure en faisant disparaître les bavures éventuelles. Cette série d'opérations

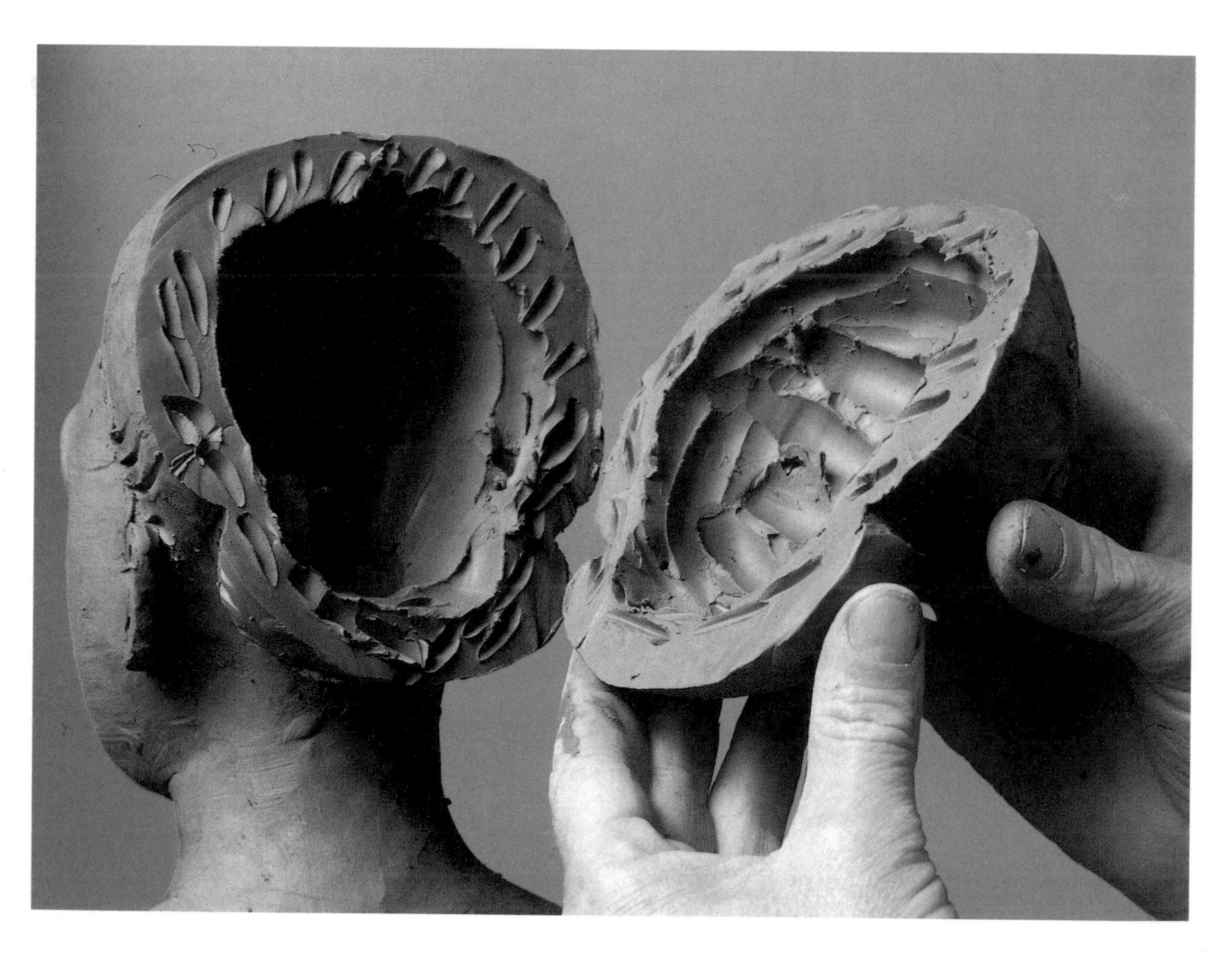

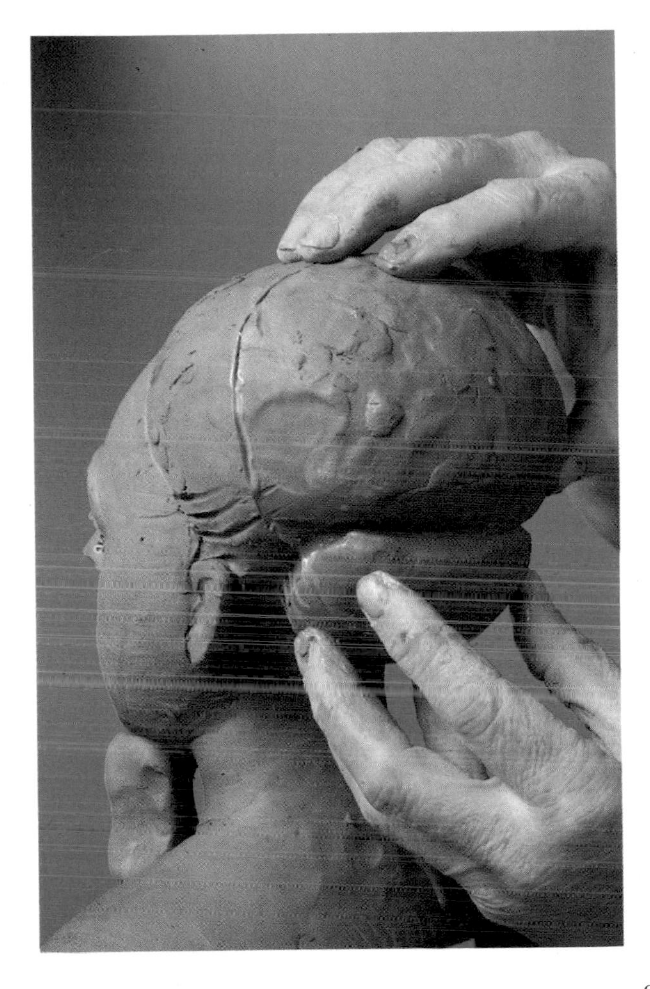

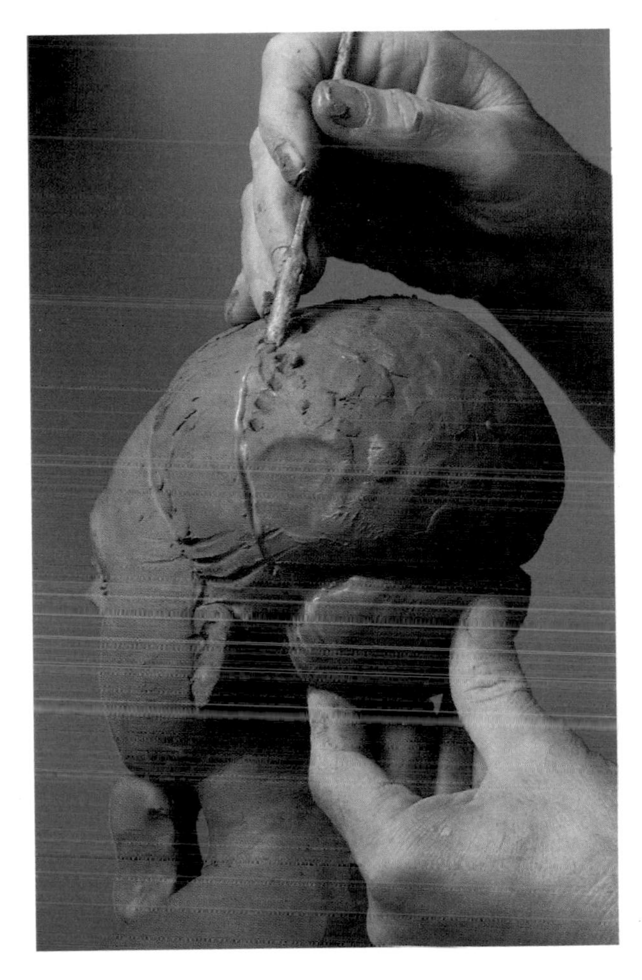

étant terminée, nous laisserons sécher la terre. Ceci devra s'effectuer à l'abri des courants d'air (qui en accéléreraient excessivement le séchage, de manière hétérogène) et surtout à l'abri de sources directes de chaleur.
Abandonnons donc cette terre, sans plus y toucher, pour une dizaine de jours ou davantage, selon les dimensions de la sculpture et les conditions climatiques.
En ce qui concerne la cuisson, la règle selon laquelle il est préférable, dans certains cas, de s'en remettre à ceux qui, par expérience du métier et en possession d'un outillage spécifique, offriront le maximum de garanties, reste valable.
Nous porterons donc notre matériel à cuire dans un bon atelier de cuisson ceramique. En continuant à pratiquer et en acquérant du métier, il n'est pas dit que nous ne soyions pas amenés à souhaiter cuire nous-mêmes, mais pour le moment, contentons-nous de faire « la tarte » et de la porter au fourneau, comme le faisaient nos grand-mères.
Cuire soi-même ses propres terres est déconseillé pour toute une série de raisons. Avant tout parce que se munir de l'appareillage nécessaire est très onéreux et exige de la place. S'équiper de façon sommaire est un handicap et très contraignant: un four trop petit nous

obligerait à n'y introduire que des objets aux dimensions très réduites.
Outre cela, il ne faut jamais oublier que pour de telles opérations et en général pour toutes les choses ayant trait à l'art, il n'existe pas d'instruments scientifiques ou de paramètres fixes qui nous informent sur le mode de procéder ou sur le développement des processus qui ont lieu.
Si vous en avez la possibilité, allez visiter un atelier de cuisson céramique et vous réaliserez immédiatement combien de choses il faut savoir pour cuire l'argile: l'emploi du four, par exemple, la température, le positionnement des objets à l'intérieur, la façon dont manipuler les terres cuites pour ne pas les abîmer et toutes les autres précautions à prendre.
N'ayant pas de règles fixes ni d'instruments de mesure, comme nous l'avons dit précédemment, tout ce savoir, ce métier, proviennent d'une longue expérience professionnelle, qui permettra à l'opérateur de répondre à tout problème spécifique rencontré.
C'est pour toutes ces raisons que, pour la cuisson, il est vivement conseillé de s'en remettre à la compétence des préposés à ces travaux: ce que font presque toujours les sculpteurs, j'entends par là ceux qui le sont déjà, si cela peut vous tranquiliser.

Je pense que le problème de la couleur peut offrir un intérêt particulier et qu'il nécessite en tout cas une mise au point; parlons-en un peu.

**Qu'est-ce que la couleur?**

*La couleur est le moyen par lequel nous reproduisons les sensations chromatiques qui frappent notre œil. La gamme des couleurs qui nous entourent est extrêmement vaste et complexe. Mais avant de parler de leur emploi, tâchons de mieux les connaître.*

*Les couleurs se divisent en* pigments *et* colorants.

**Les pigments**

*Il s'agit de substances colorées, transformées en poudre et insolubles qui, unies à un liant, peuvent être fixées sur un support (toile, papier, carton, bois, etc.).*

*Les couleurs à l'huile, à tempéra, à l'eau et acryliques, bien qu'ayant leur origine dans un même pigment, se différencient les unes des autres par la qualité du liant.*

*Les pigments proviennent du monde minéral, végétal et animal, mais ils peuvent aussi être d'origine synthétique.*

*Les pigments organiques naturels sont les terres et les ocres, comme la terre de Sienne naturelle et brûlée, la terre d'ombre naturelle et brûlée, les terres vertes.*

*Les pigments non organiques synthétiques s'obtiennent à partir de procédés chimiques de précipitation, sublimation ou attaque chimique des métaux.*

*** Les blancs**

Oxyde de zinc*: il donne le blanc le plus brillant qui existe, mais aussi le moins couvrant. Découvert au début du XIX$^{e}$ siècle, c'est une couleur complètement atoxique. Il a une tonalité légèrement bleutée, il se mélange bien avec les autres couleurs, les éclaircissant et les maintenant brillantes.*

Blanc de titane*: c'est un bioxyde de titane; c'est un pigment apparu au début du siècle, qui peu à peu remplace tous les autres blancs en raison de son pouvoir couvrant et de son degré de pureté.*

Blanc de baryte*: c'est un sulfate de baryum non toxique; mélangé avec le sulfure de zinc, il donne le lithopone, employé dans les couleurs à l'eau qui excluent l'emploi du blanc de zinc.*

*** Les jaunes**

Le jaune de cadmium*: c'est un sulfure de cadmium qui est préféré aux autres jaunes car il ne présente aucun défaut particulier. Sa tonalité va du jaune citron à l'oranger.*

Ocre jaune et jaune de Mars*: ils sont obtenus à partir de l'oxyde de fer et sont plus ou moins jaunes en fonction de la quantité de fer contenue.*

*** Les verts**

Vert émeraude*: oxyde de chrome vert hydraté, s'obtient par calcination; c'est une couleur transparente à faible pouvoir colorant.*

Oxyde de chrome vert*: à la différence du vert émeraude, il est très couvrant mais moins vif de ton.*

Vert de cobalt*: c'est un mélange d'oxydes de cobalt et il présente différentes tonalités de vert.*

*** Les rouges**

Rouge de cadmium*: c'est un sélénio-sulfure de cadmium qui se mélange bien avec les jaunes de cadmium et qui est très brillant; la qualité du sélénium contenu détermine la graduation qui va de l'oranger au pourpre.*

Rouge cinabre ou vermillon*: c'est un sulfure de mercure; rouge très ancien, peut-être le plus ancien, on le trouve tel quel dans la nature; il est remplacé par les rouges de cadmium.*

*** Les bleus**

Bleu de cobalt*: c'est un aluminium de cobalt obtenu par calcination des sels de cobalt avec l'aluminium; c'est un pigment très brillant mais à faible pouvoir colorant.*

Bleu de Prusse*: c'est un ferrocyanure de fer difficile à trouver; mélangé avec les jaunes de cadmium, il donne de très beaux verts. Découvert aux alentours de 1750, il a un fort pouvoir colorant.*

Bleu outremer*: c'est un polysulfure de sodium; il remplace l'ancien bleu outremer naturel qui s'obtenait en broyant finement le lapis-lazuli.*

*** Les violets**

Violet de cobalt*: c'est un phosphate de cobalt à faible pouvoir colorant mais très résistant à la lumière.*

*** Les bruns**

Les bruns *vont de la terre de Sienne naturelle à la terre de Sienne brûlée, de la terre d'ombre naturelle à la terre d'ombre brûlée, etc.*

DESIGNER'S
GOUACHE
EXTRAFINE
SERIE T
COLORE A TEMPERA
GOUACHE
DESIGNERS COLOUR
PLAKAT TEMPERA
Vert Paul Veronese
Emerald green
MAIMERI & C.
Milano
225/
Rosso primario
Rouge primaire
Primary red
Primärrot
Rojo primario
199 /
MAIMERI
Giallo primario
Jaune primaire
Primary yellow
Primärgelb
198
MAIMERI

*** Les noirs**

Noir d'ivoire: *obtenu par calcination de l'ivoire, il est désormais introuvable; il a été remplacé par le noir d'os, obtenu par calcination des tibias animaux; c'est un beau noir chaud, mais à séchage lent.*

Noir de vigne: *il s'obtient par calcination des sarments de vigne qui sont ensuite broyés et tamisés afin d'obtenir une poudre noire à fond bleuâtre.*

*** Les pigments organiques**

*Les pigments organiques offrent une énorme variété de tons très brillants et ils ont un fort pouvoir colorant comparativement aux pigments non organiques qui possèdent un pouvoir colorant plus faible et des tonalités moins brillantes.*

*Les pigments organiques couvrent toute la gamme des couleurs; ils sont dérivés du pétrole et comprennent un faible nombre de classes chimiques qui sont:*

Les pigments azoïques, *dont la gamme va des jaunes aux rouges et aux bordeaux.*

Les pigments anthraquinoniques et thioindigoïdes, *qui couvrent une gamme allant des jaunes aux rouges et aux bleus.*

Les pigments phtalocyaniniques, *qui vont des bleus aux verts; ils deviennent très solides à la lumière et remplacent par leur brillance les couleurs non organiques.*

Les pigments quinacridoniques, *qui vont du rose, au rouge, au violet et couvrent une gamme de couleurs inexistantes parmi les couleurs non organiques.*

Les pigments dioxyaziniques *sont des pigments qui deviennent très solides à la lumière et qui couvrent la gamme des violets ajoutés aux quinacridoniques.*

*** Les couleurs à tempéra**

*Nom générique qui indique toutes les techniques qui n'emploient pas d'huile siccative comme liant. Autrefois on préparait des tempéras à l'œuf, à la cire, à la colle (gouache); la tempéra à l'œuf était la plus raffinée (elle était employée par les grands artistes du XV^e^ siècle). La tempéra à la cire était préparée en faisant fondre au bain marie de la cire, de la glycérine et quelques gouttes d'ammoniaque, c'est une tempéra très fine, très employée au Moyen-Âge.*

*La tempéra à la colle, ou gouache, résultait du mélange avec la colle de poisson, de lapin, etc., pour peindre ensuite à l'eau. La gouache était une tempéra d'exécution rapide, peu raffinée, employée pour peindre les esquisses; aujourd'hui, grâce à une meilleure qualité de*

0 MaiMeRi 981 SETOL
2 MaiMeRi 981 SETOL
8 MaiMeRi 981
12 MaiMeRi 981
14 MaiMeRi
18 MaiMeRi
20 MaiMeRi 981 SETOL
22 MaiMeRi
20 MaiMeRi 982 SE
18 MaiMeRi 982
16 MaiMeRi 982 SETOL
14 MaiMeRi 982 SETO
12 MaiMeRi 982 SET
10 MaiMeRi 982 SETOLA
8 MaiMeRi 982 SETOLA
6 MaiMeRi 982 SETOLA
4 MaiMeRi 982 SETOLA
2 MaiMeRi 982 SETOLA

*ses composants, elle est devenue l'unique tempéra commercialisée.*

**Les colorants**

*Ce sont des substances colorées solubles qui pénètrent (au lieu de se fixer) dans le support. Les colorants végétaux ou animaux étaient connus des égyptiens il y a plus de 4000 ans. Vers la deuxième moitié du XIX^e^ siècle sont apparus les colorants à l'aniline qui, dès lors, ont rencontré un grand succès. Dans le domaine de l'art, les colorants sont produits selon la même gamme de tonalités que les pigments, sous forme d'aquarelles liquides et de feutres; ils sont dilués dans l'eau, dans l'alcool, etc.*

On a souvent été amené à penser que la couleur n'était pas un caractère propre à la sculpture, mais plutôt un ajout, un « plus ». Elle a souvent pour rôle d'en accentuer le seul aspect extérieur, le plus superficiel, de jouer sur le caractère suggestif. En tout cas, l'image que l'on a, l'idée que l'on se fait communément de la sculpture fait abstraction de la couleur; mieux, la sculpture est blanche, comme le marbre, rouge comme la terre cuite, noire comme le bronze. Il s'agit quoi qu'il en soit d'un préjugé, d'un vice d'interprétation dû plus qu'autre chose à une certaine tradition historique, et

même historiographique, qui nous a proposé cet art comme un problème de formes et de volumes, mais sans couleur, sinon celle du matériau employé.
Si nous pensons à la grande sculpture antique, principalement à celle de la Grèce classique, la conviction selon laquelle elle était dépourvue de couleurs s'est imposée. Rien de plus faux. Malheureusement, le cours des siècles a altéré les surfaces, nous ôtant la possibilité de voir ces œuvres telles qu'elles furent en réalité, toutes conçues et réalisées pour être peintes, racontées au travers des couleurs qui les rendaient vivantes, participant à l'espace et au monde dans lequel elles étaient nées et existaient, devenant partie intégrante et active de cet univers.
Malheureusement, les époques qui se sont tournées vers l'antiquité et spécialement vers la période classique ont interprété cette absence de couleurs non comme une perte, mais comme une caractéristique propre à la sculpture.
Voici donc que les divers « classicismes », de la Renaissance au Baroque et au Néo-classicisme de la fin du XVIII$^{e}$ siècle, se référant à la tradition classique ou, plus généralement, à l'art antique, ont produit presque exclusivement des sculptures privées de couleurs.
Si nous pensons à des œuvres de sculpteurs « épouvantablement » doués et représentatifs tels que Michel-Ange, le Bernin, Canova, artistes qui ont symbolisé l'art de leur époque, il nous vient l'image d'une sculpture sans couleurs. En réalité, ce n'est pas seulement au cours des époques lointaines que les artistes firent usage de la couleur en tant que contribution indispensable et naturelle à leur travail. Durant le Moyen-Âge et jusqu'au XV$^{e}$ siècle, toute la sculpture en bois, puis la majolique ou la terre cuite vitrifiée (Luca della Robbia), a été entièrement colorée. Mais la grande statuaire, la sculpture la plus illustre et la plus connue, a toujours été privée de couleurs à tel point que la première image qui nous vient et que nous en avons est quelque chose d'essentiellement blanc. La sculpture est donc blanche, à quelques variantes près en fonction du matériau employé. Et bien, comme nous l'avons vu, cette idée du blanc et de la monochromie n'est que le fruit d'un préjugé, du reste justifié par la méprise de ceux qui nous ont précédés et qui nous ont consigné une interprétation, sinon erronée, du moins déformée et généralisatrice, au point de conditionner et de déterminer pour de longs siècles, et ceci jusqu'à nos jours, le concept de sculpture comme art ne nécessitant pas d'intervention chromatique.

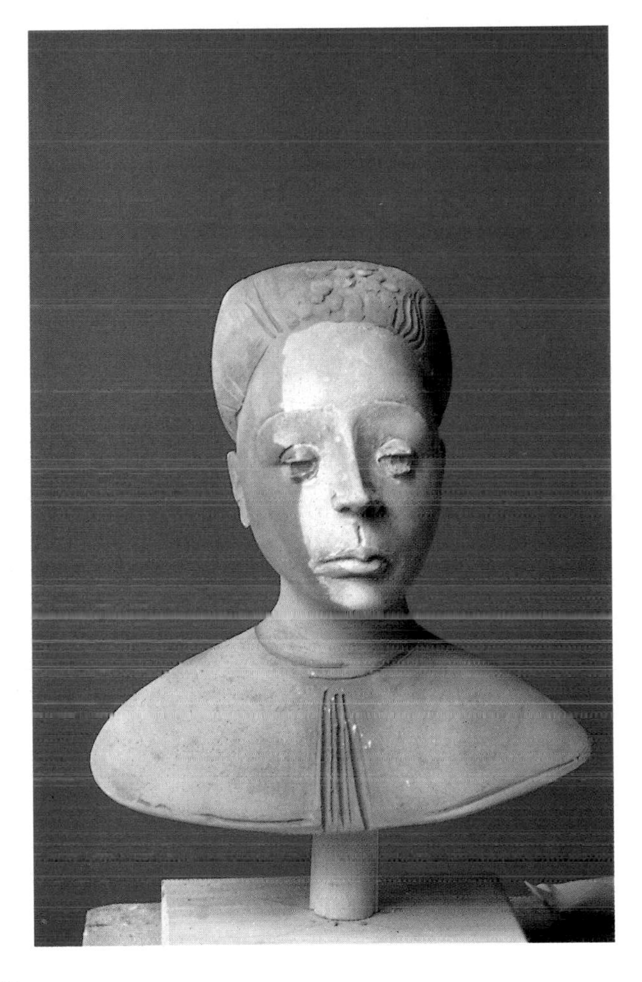

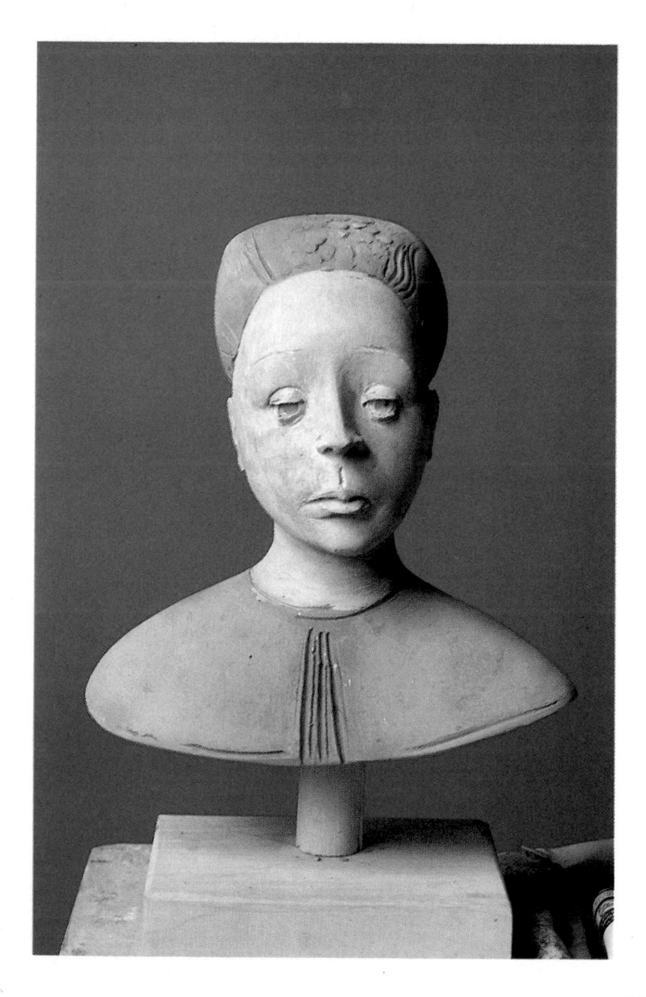

La couleur fait en réalité partie intégrante de la sculpture, elle contribue à souligner la plastique en délimitant les volumes et à mettre en évidence les parties les plus expressives du sujet: on pense à la bouche, aux yeux et à tous les détails de la carnation, auxquels l'auteur a accordé un intérêt narratif particulier.
Le problème de l'emplacement, c'est-à-dire la nécessité de faire « vivre » le sujet dans son propre contexte, de le mettre en rapport dialectique avec l'espace, avec le monde auquel il est destiné, n'est pas le moindre. La couleur, par nature voyante, facilement lisible, permet de dégager le sujet du contexte dans lequel il s'insère, sans pour cela le rendre prépondérant. C'est pour ce motif qu'il faut accorder à la couleur une attention particulière et qu'on ne peut lui attribuer l'importance toute relative d'une sorte de « touche finale », d'opération marginale et additive. L'emploi de la couleur est certes très personnel et sans aucun doute facultatif; il dépend, comme on le comprend aisément, du type de réalisation et de la sensibilité de l'auteur, mais au moment où l'on se décide à pratiquer ce genre d'intervention, on ne peut le faire au hasard.
A ce stade, il est nécessaire d'agir en gardant présents à l'esprit deux principes très généraux qui escorteront nos exigences et nos capacités

expressives, notre sensibilité propre, non en tant que contraintes mais au contraire afin de faciliter les choses.

L'application et avant tout le choix d'une couleur plutôt qu'une autre ne peut jamais se faire dans un rapport discordant ou contradictoire avec les caractéristiques du modelage. Comprenons-nous: une sculpture dont la plastique est forte, très accentuée, n'aura pas besoin que l'on souligne beaucoup ces valeurs, moyennant un apport de couleur incident.

De la même manière, dans le cas d'une sculpture de faible relief, la couleur sera d'une aide précieuse, sinon pour accentuer les reliefs, probablement voulus tels par l'auteur, pour illuminer les surfaces du modelage, mieux définir les lignes de construction et mettre en évidence certains détails.

La couleur ne devrait jamais apparaître comme quelque chose de « mis sur », une espèce de peau ultérieure qui viendrait recouvrir et masquer la sculpture, tout en lui demeurant étrangère. Elle devrait au contraire parvenir à faire partie intégrante et déterminante du récit, à être un élément de communication. Il s'agit concrètement de la faire apparaître comme participant de la même substance que le sujet et non comme un apport ultérieur, resté en surface; elle devrait être lumière, caractère propre

de la matière, ne la recouvrant pas mais venant de l'intérieur. La couleur comme lumière de la matière, qui vient du dedans et en fait partie, et non comme un simple fait décoratif extérieur.
Elle a en effet une fonction narrative précise, il ne s'agit pas de quelque chose d'indépendant mais qui fait partie du récit au sein duquel elle joue un rôle important au même titre que les autres éléments formels et expressifs.
Nous avons donc vu quels sont la richesse et le poids de la contribution apportée par la couleur, quels sont les possibilités et les revers qu'elle réserve, les devoirs qu'elle peut remplir, les fonctions dont elle peut s'acquitter dans certaines situations.
En rapport avec la façon dont elle est utilisée, elle peut prendre l'aspect et la saveur d'un sentiment, mais elle peut aussi fonctionner comme une composante naturaliste ou être à l'inverse employée afin d'opérer sur le sujet une sorte d'éloignement par rapport à la réalité, lui donnant le sens d'un pur fruit de la fantaisie et de l'invention. En outre, le chromatisme offre la possibilité d'accentuer le caractère des valeurs plastiques ou formelles, comme de rendre personnelle et originale la communication qui s'établit avec le sujet. C'est pourquoi lorsqu'on aura recours à elle,

le soin et l'attention requis égaleront ceux voués à toutes les autres phases du travail, tel que dessiner, composer, construire et modeler. Le « dosage » constitue un autre aspect important: il s'agit d'établir au fur et à mesure le degré d'incidence de la couleur.
L'idéal est comme toujours d'agir avec mesure, je dirais presque avec parcimonie, en procédant par petit peu, de façon à pouvoir établir le moment auquel il faudra s'arrêter, une fois obtenues l'intensité et la densité souhaitées. C'est pourquoi la pose de la couleur doit être effectuée par glacis, c'est-à-dire par fines couches successives de couleur diluée qui, en se superposant, donneront peu à peu le ton voulu. Je crois utile de rappeler qu'une sculpture est quelque chose qui vit, qui respire, et qui, comme tel, doit être respecté. Le sujet sur lequel nous opérons a son propre épiderme avec toute la vibrante sensibilité du modelé: c'est une « peau » et nous ne devons en aucune façon l'étouffer en la recouvrant d'épaisses couches de fard qui la grime, altérant tout ce que la surface modelée a de frais et de vital. La couleur devrait sembler être née avec la matière dont elle fait partie, comme si elle en était une composante naturelle, une caractéristique propre et pertinente.
Ceci étant dit, voyons quelle sera la façon de

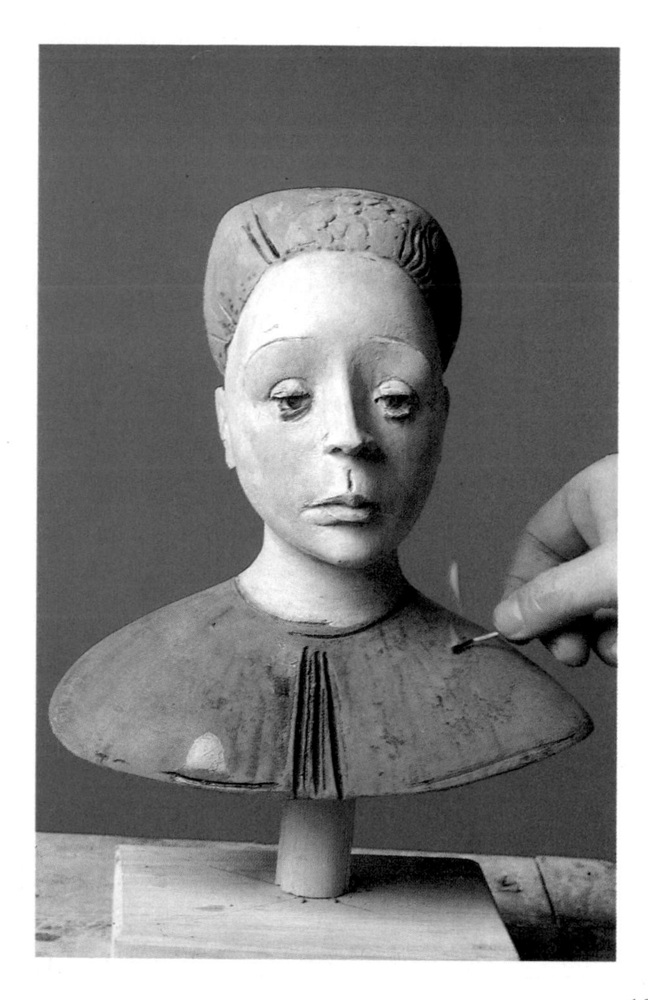

mener à bien cette ultime étape du travail. Nous sommes à présent devant notre terre cuite, d'une belle couleur rouge, chaude, dotée d'une surface poreuse, proche de la poussière. En appliquant directement la couleur, nous risquons de la voire absorbée très rapidement tout en laissant des taches et sans pouvoir obtenir une couche suffisamment mince et homogène. C'est un peu comme lorsqu'on utilise l'aquarelle sur du papier sec: le premier coup de pinceau est immédiatement bu par la surface très absorbante et il est ensuite impossible de récupérer la couleur, qui finit par former une tache intense. Comment donc palier cet inconvénient? C'est très simple: il suffit de créer une base prête à accueillir la solution colorée, un véritable support. Nous aurons alors soin d'imperméabiliser la surface qui sera ensuite peinte. Pour cela, il suffira de passer du lait entier à l'aide d'un pinceau (la caséïne est imperméabilisante). Cette opération devra être répétée au moins deux ou trois fois, ce qui sera suffisant pour éviter que la terre cuite vierge n'absorbe trop soudainement la couleur, empêchant ainsi d'obtenir une couche uniforme d'intensité et d'épaisseur. Prenez garde à ne pas oublier les éventuelles incisions et interstices, afin de ne pas laisser de vides ou de zones plus absorbantes. Voyons maintenant quels

types de couleurs adopter. Les tempéras courantes et toutes prêtes sont particulièrement indiquées de même que les terres, poudres colorées d'origine naturelle. La tempéra n'a besoin d'aucun additif, puisqu'elle contient déjà des fixatifs. En ce qui concerne les terres, il sera nécessaire de leur ajouter de la colle: la VR 200 conviendra parfaitement, délayée dans la proportion de 1 pour 10, de même qu'une solution très diluée de gomme laque et d'alcool dénaturé. Ce dernier type de substance nécessite un ou deux jours avant d'entrer complètement en solution; nous pourrons en préparer une bonne quantité et la garder ensuite pour d'autres occasions, à condition de la placer dans un récipient bien fermé: l'alcool étant très volatile, on court le risque de ne plus en retrouver le moment venu. Une fois les couleurs prêtes, nous procèderons par glacis. Nous attendrons naturellement qu'une couche soit sèche avant de passer la couche suivante, évitant ainsi d'empâter la tempéra. A chaque application, il faudra en outre prendre garde à ce que les coups de pinceau faisant double emploi ne s'additionnent pas, ce qui entraînerait une intensification de la couleur à l'endroit de la superposition. Une fois les tons désirés obtenus et les retouches des détails achevées, il faudra attendre au moins deux heures avant

que la couleur ne sèche. A ce stade, nous prendrons une véritable éponge imprégnée d'une solution d'alcool et de gomme laque ou d'eau et de VR 200, et nous la passerons délicatement sur toute la surface peinte. Ceci étant fait, il faudra attendre deux jours avant de procéder à la fixation définitive. Une fois le délai necéssaire écoulé, nous aspergerons notre terre cuite d'alcool et nous y mettrons le feu, cette opération demandant toute notre attention. Une flamme bleutée et transparente se formera pour s'éteindre à mesure que l'alcool se consumera. (Ayez à portée de main le numéro de téléphone des pompiers.) Une fois la flamme éteinte, la couleur est fixée. Il ne reste alors plus qu'à passer à la phase ultime de la finition, c'est-à-dire au cirage. Il sera très facile de se procurer de la cire jaune pour les sols ou pour les meubles, plutôt fluide, d'autant meilleure qu'elle sera riche en cire d'abeilles. A l'aide d'un pinceau souple, nous en appliquerons une épaisse couche sur toute la surface peinte. Avec un chiffon de laine (le vieux châle de grand-mère convient parfaitement) nous frotterons longuement jusqu'à faire briller. Bien. Confessons à présent que ce qui a éventuellement été passé sous silence peut être deviné grâce aux exemples photoghraphiés qui jalonnent le texte ou au cours de la mise en pratique.

## QUELQUES EXEMPLES UTILES

Nous avons examiné deux exemples en détail: comment modeler une tête en ronde-bosse et un petit panneau en bas-relief; mais les possibilités d'application sont pratiquement inépuisables.
Certes la fantaisie et l'invention ne manquent pas, mais je crois opportun, parvenu à ce stade, d'illustrer brièvement quelques exemples de figures prises dans des attitudes diverses, afin de donner quelques indications supplémentaires.
Les planches qui suivront, réalisées à l'aide de collages, sont très simples, comme vous pouvez le voir, mais illustrent de manière claire et schématique la façon de disposer, je dirai même « de faire tenir debout » quelques figures dans les positions les plus variées. Il s'agit d'observer avec une certaine attention et de raisonner un peu. On prendra immédiatement conscience de l'existence d'un certain mécanisme logique qui, une fois assimilé, nous sera d'une aide précieuse au moment où nous nous proposerons de réaliser les figures et les formes les plus variées, même au-delà des exemples proposés ici.
Quels sont en substance les exemples que nous offrent les illustrations qui suivent? Voyons-le maintenant.
Avant tout le support. Nous verrons qu'il peut être de divers types. Il est dans tous les cas composé d'une base (habituellement un plan de bois) et d'un support ou soutien principal. Ce dernier peut-être en bois, comme nous l'avons vu précédemment lors du modelage de la tête, en métal ou bien aussi en terre. L'aspect change mais la fonction reste la même: servir d'appui ou de soutien à l'ensemble de la sculpture; voici pourquoi il sera placé de manière à coïncider avec l'axe principal idéal de l'œuvre. Mais voyons cela plus en détail.
La planche n. 4 propose le cas d'une figure debout. Ce sujet est entièrement vertical et il repose sur les deux jambes. D'où le problème de permettre aux membres, plus fragiles, de supporter le poids du tronc, plus compact et plus lourd.
Nous voyons indiqué en noir un support qui, dans la réalité, devra être en métal; il entrera dans le corps de la figure pour la parcourir selon un certain tracé; cette solution nous permettra de soutenir et de maintenir selon l'axe vertical une forme allongée, mince et ayant un

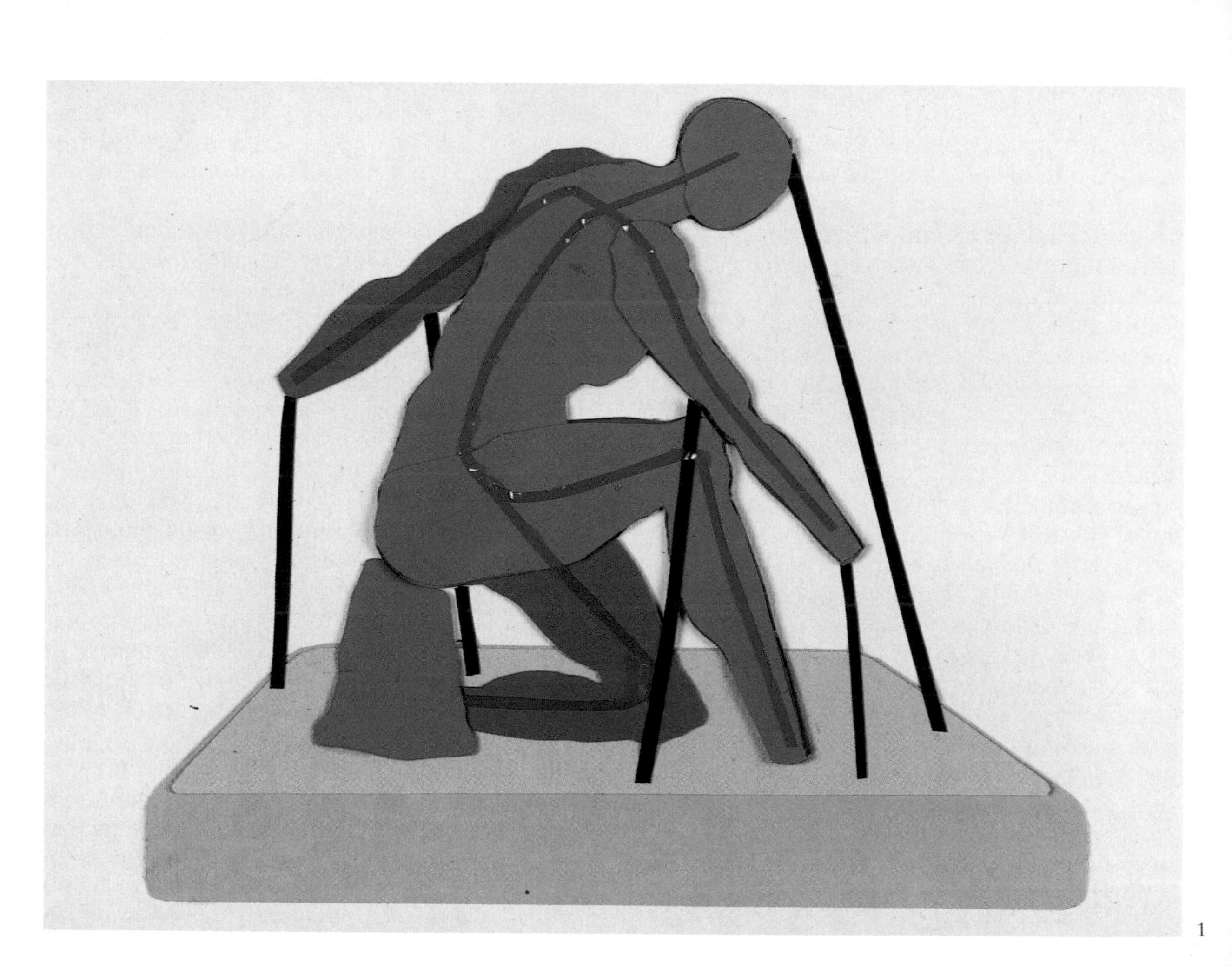

1

appui minimal au niveau de la base. En ce qui concerne les jambes, elles ne reposent pas directement sur cette base, mais sur un plan de terre ajouté: celui-ci servira d'ancrage solide jusqu'à la fin du travail, pour être ensuite séparé des membres à l'aide du fil de cuivre. En séchant, le matériau subira, comme nous le savons, un retrait et nous verrons ainsi les jambes s'éloigner de la base. Pour réaliser un support de ce genre, prenez une rondelle de fer de 4 à 6 mm de diamètre, en fonction des dimensions de la sculpture et donc de son poids. L'important est qu'elle soit de section ronde et que la surface soit lisse. Deux jours après avoir fini de modeler, avant que la terre ne se soit trop rétractée mais alors qu'elle aura acquis une consistance suffisante pour être manipulée et appuyée sans endommager la forme et la surface, nous devrons désenfiler la sculpture en la roulant vers le haut, puis la coucher délicatement sur un plan où elle finira de sécher. Il est évident que si le support n'était ni lisse ni cylindrique, cette opération serait impossible, à moins de forcer et de tout casser.

Dans les exemples n. 1 et 3, le support est simplement réalisé avec un peu de terre qu'il sera possible d'ôter une fois le travail achevé. Les positions des deux figures sont en fait beaucoup plus ramassées et les points d'appui à la base représentent une surface plus grande. Dans l'exemple n. 3, la majeure partie du poids se porte sur le bassin au-dessous duquel se trouve effectivement le soutien d'argile. L'exemple n. 2 ne pose pas non plus de problèmes d'armatures ou de supports particuliers, la figure étant couchée et appuyant presque entièrement sur le plan horizontal que constitue la base. Comme nous l'avons vu, il est aisé d'établir le type de support adéquat en tenant compte des exigences de ce que nous souhaitons réaliser; je voudrais une fois encore souligner l'importance du projet, du dessin préparatoire à partir duquel nous pourrons déduire les particularités et les exigences structurelles de notre sujet, afin d'établir im-

*1. Pour réaliser un sujet de ce type, il suffira de disposer préalablement un appui d'argile à la base du tronc, qui servira de support principal. En ce qui concerne les bras, les quatre points de soutien sont visibles, indiqués en noir, deux au niveau des coudes, les autres en correspondance avec les poignets. Dans ce cas il en faudra un autre pour la tête qui, se trouvant projetée en avant, engendre par son poids une zone de fracture potentielle à la base du cou.*

médiatement la meilleure façon de le soutenir. D'autres éléments sont aussi à observer dans ces exemples. Nous avons soutenu la sculpture grâce au support et nous avons pu l'amener à son terme. Mais nous constatons à présent qu'il y a aussi des parties en saillie, à savoir toutes celles qui restent suspendues dans le vide ou s'écartent de beaucoup de l'axe principal.
En restant sans appui, spécialement lorsque la terre est encore tendre, elles risquent de « tomber ». D'où la nécessité des étais.
Sur les illustrations, ils sont indiqués en noir, ou sous la forme de petites boulettes de terre. Ils ont pour fonction de soutenir toutes les parties en saillie. Qu'il s'agisse de crayons ou d'atelles de bois, peu importe, ce qui est fondamental, c'est que la base de ces étais appuie sur un petit morceau d'argile; la terre employée pour la sculpture subira en séchant un retrait et par conséquent de petits déplacements. Si les étais n'appuyaient pas sur de la terre qui se rétractera à son tour, ils ne pourraient pas accompagner cette lente contraction et finiraient, en restant rigides, par tomber ou par endommager la figure en la déformant ou en lui opposant une résistance excessive. N'oublions donc jamais cette précaution à la fois simple et capitale. En ce qui concerne les parties les plus voisines de la base (comme par exemple le pied isolé de la figure n. 3), il suffira d'une boulette de terre plus ou moins grande. Nous pouvons facilement identifier les points à soutenir à partir de ces exemples.
Il reste une dernière chose à observer: il s'agit de la ligne rouge qui parcourt la figure sur toute sa longueur, jambes et bras compris, sans jamais s'interrompre. C'est la matérialisation d'un concept valable dans tous les cas, quel que soit le type d'application, et qui est peut-être plus difficile à expliquer qu'à comprendre. J'essaierai de le clarifier rapidement. La ligne rouge indique la continuité du cours de l'argile, sa force de cohésion qui ne doit jamais être interrompue. Qu'est-ce que cela signifie?

*2. Ce sujet n'exige pas d'armatures particulières. La figure, allongée, repose presque entièrement sur le plan horizontal de la base. Il suffira de soutenir en quatre points la jambe et le bras qui demeurent en suspens (cheville et partie postérieure du genou pour la jambe, coude et poignet pour le bras). Les zones un peu surélevées de la jambe et du bras gauches sont soutenues par deux boulettes de terre. Prêter une attention particulière aux points fragiles à étayer, c'est-à-dire aux membres en suspens, dont nous avons déjà parlé, et la tête qui dans ce cas doit être aussi soutenue, mais, à la différence de l'exemple précédent, cette fois dans sa partie postérieure.*

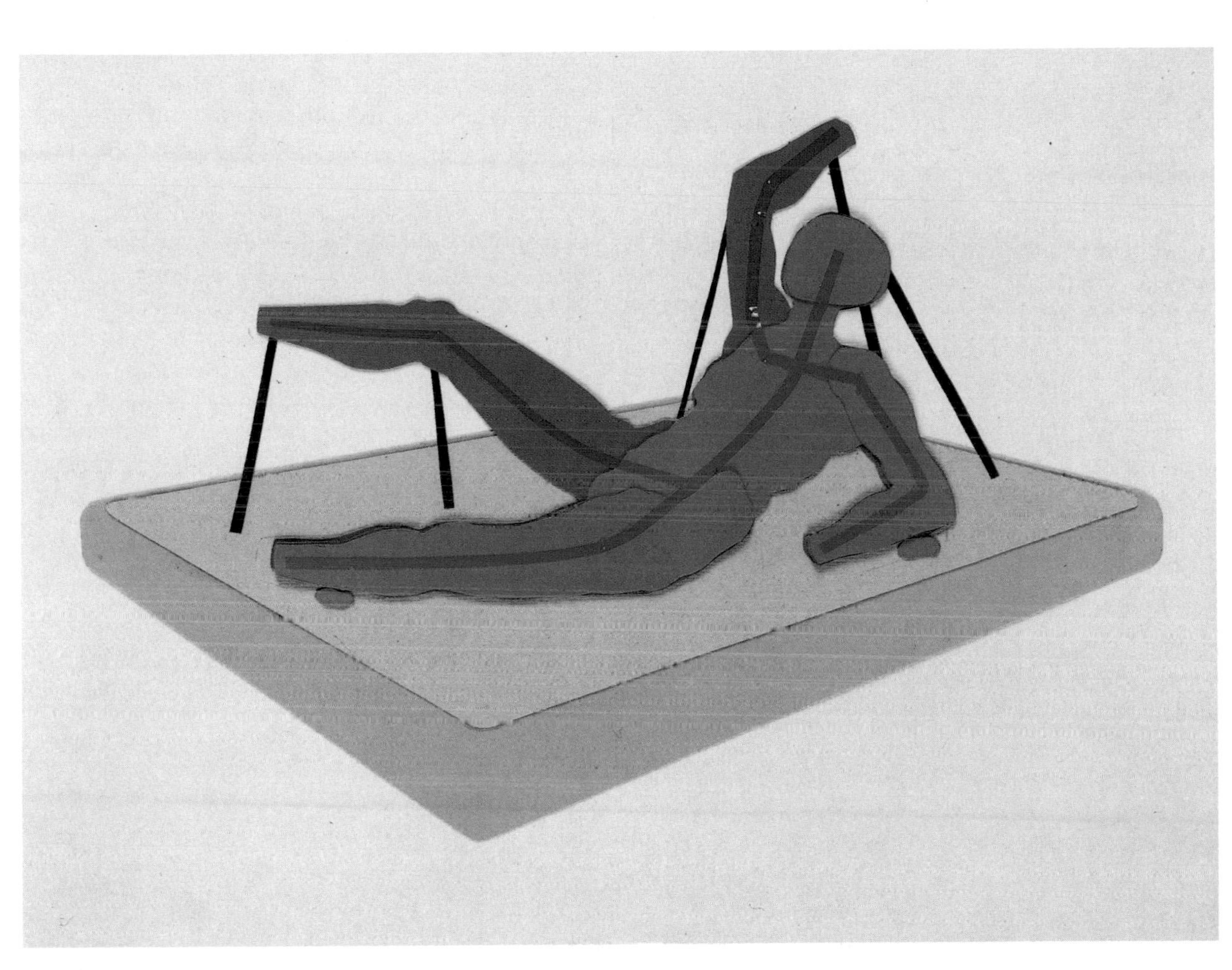

2

C'est très simple. Cela veut dire qu'il ne faut jamais modeler par segments, pour les assembler ensuite: la structure de base, la construction initiale, doit être constituée d'un seul morceau ininterrompu. Je veux dire qu'en modelant bras et jambes, par exemple, il ne faudra pas mettre bout à bout des segments successifs, mais former un long boudin de terre qui, sans interruption, constituera la structure de base du membre qui sera ensuite modelé dans le détail. En unissant divers segments, pour autant qu'on puisse le faire en préservant la solidité, nous interromprons la force de l'argile, créant ainsi des zones critiques, des endroits de fracture potentielle, compromettant le nerf du matériau. Nous aurons affaibli et fragilisé un point

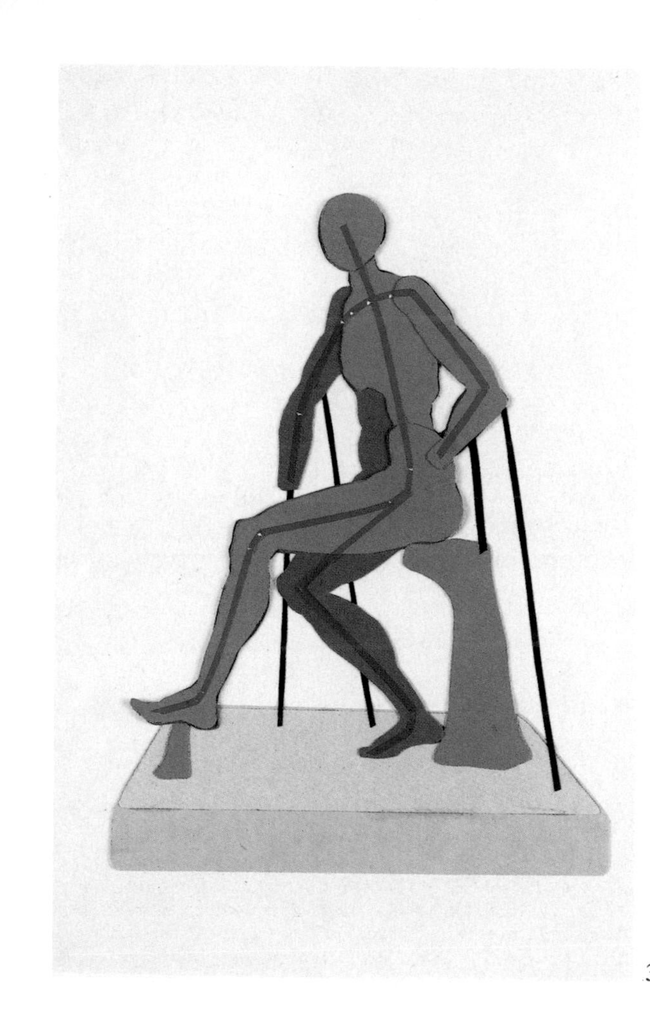

3

*3. Nous avons à présent une figure assise. Ce cas ne présente pas non plus de problèmes de soutien particuliers (armature). Le support sous le bassin est encore en argile, les points de soutien pour les bras sont encore une fois au nombre de quatre, positionnés comme le montre l'image. Seulement attention à relier à la base le pied qui en est isolé, à l'aide de l'éternelle boulette de terre.*

plus que les autres, enlevant son homogénéité à la résistance de l'argile. Dans ces zones, c'est-à-dire en relation avec la réunion des segments successifs, des ruptures, des lésions ou des fêlures se produiront à coup sûr, incidents d'autant plus déplaisants qu'ils sont irréparables. Prenez donc garde à suivre ce conseil: l'argile a sa force propre, une résistance notable tant qu'elle est d'une seule pièce. Respectons-la, exploitons-la, et mettons-la à profit en la maintenant intacte le plus possible.

Voilà maintenant les trois derniers exemples. Il s'agit de trois figures esquissées l'une debout, l'autre assise et la dernière couchée. Sur les photographies qui suivent, les supports et les étais sont bien visibles.

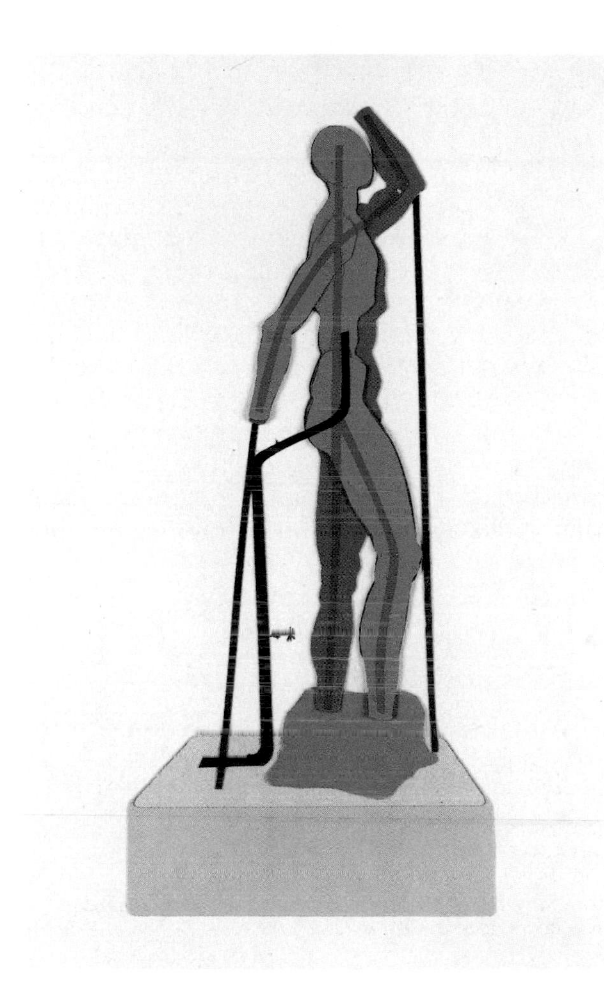

4 *4. Prenons ici le cas d'une figure debout. Comme nous le voyons, il sera nécessaire de disposer un support en métal (indiqué par la flèche), bien ancré à la base, qui parcourt au moins en partie (un tiers mais mieux encore la moitié) l'intérieur du tronc. On voit clairement que les jambes appuient sur une base d'argile ultérieure, qui sera par la suite isolée. Les bras sont soutenus en deux endroits.*

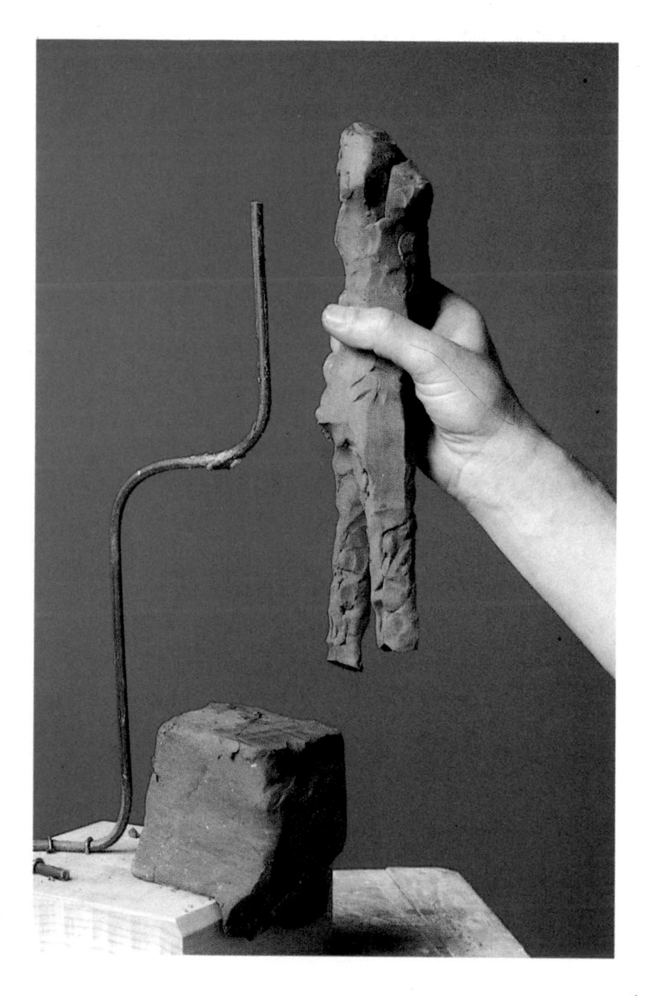

## APRES TOUT CELA... LA FAÇON DE FAIRE

Un manuel pratique est par essence composé de tant d'éléments (normes, conseils, indications, notes et illustrations) que, tous réunis, ils devraient concourir à enseigner ou pour le moins à expliquer en détail la pratique, l'activité en cause. C'est pour cela qu'il peut se révéler aussi bien utile qu'avoir l'effet inverse, donnant par essence des informations dispersées et fragmentaires. Voilà pourquoi nous avons voulu en conclusion prendre un exemple

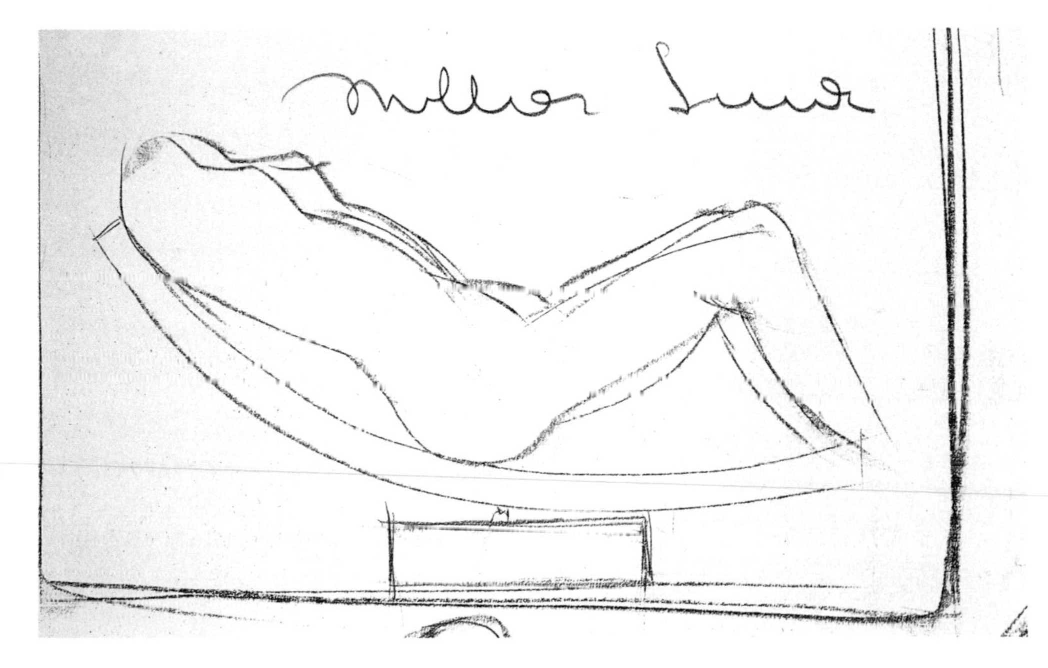

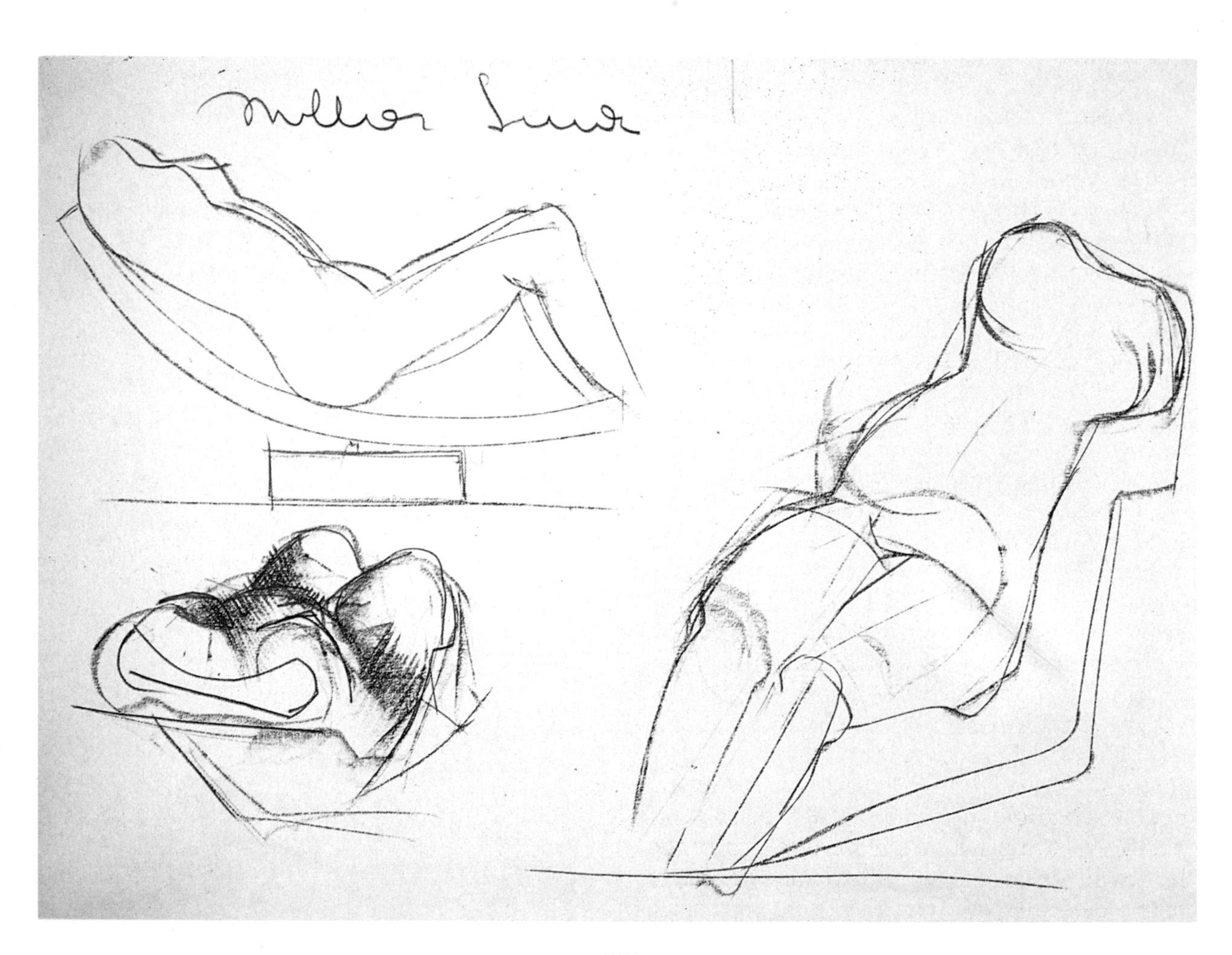

qui requiert l'application de toutes les règles et précautions illustrées jusqu'ici, tout en apportant, au moment voulu, des modifications au déroulement du travail (* voir note page 129).
Dans cette dernière séquence d'images nous trouverons illustrées, l'une après l'autre, toutes les phases du travail, de la première esquisse graphique jusqu'à l'opération finale de cuisson. Toute cette « histoire » est contée d'un bloc, sans interruptions ou digressions, de manière à présenter un panorama complet, global de la façon dont naît et est mené à bien un travail.
Il s'agit d'une sorte de synthèse finale qui a pour fonction, c'est du moins ce que je souhaite, de rassembler les idées et de dissiper les doutes éventuels qui auraient pu surgir au cours des exposés précédents. Tout au long de cette ultime réalisation, l'usage correct de la main en tant qu'outil et l'emploi des divers instruments seront documentés du mieux possible et mis en évidence à chaque instant. Mais nous avons déjà parlé de cela.
Je tiens beaucoup à ce que nous observions encore une règle: ne jamais perdre de vue l'aspect formel, c'est-à-dire le dessin, durant tout le travail de modelage. Au risque de me répéter: dessiner, toujours dessiner, pour chan-

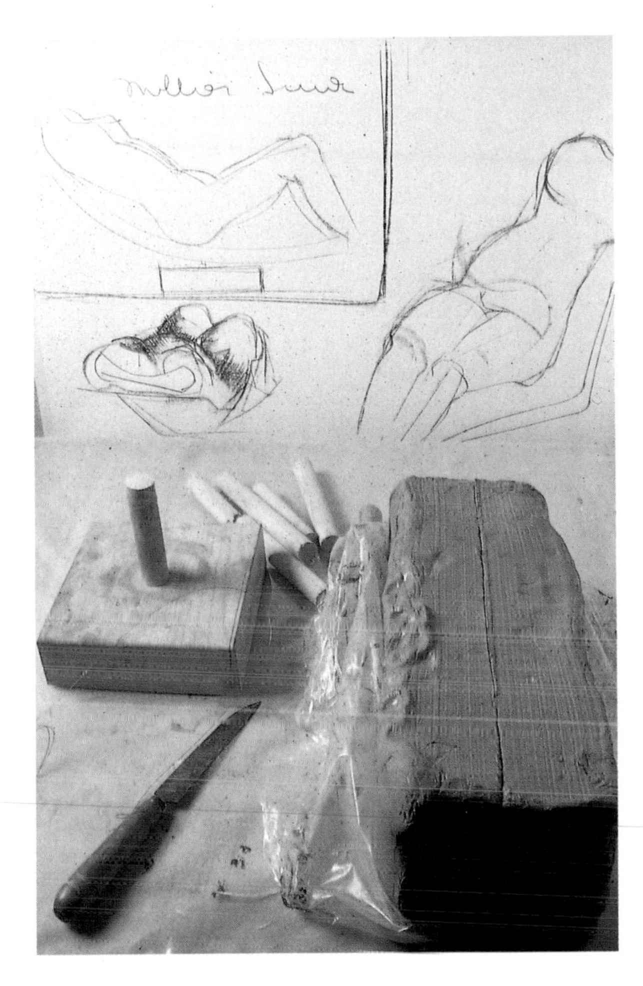

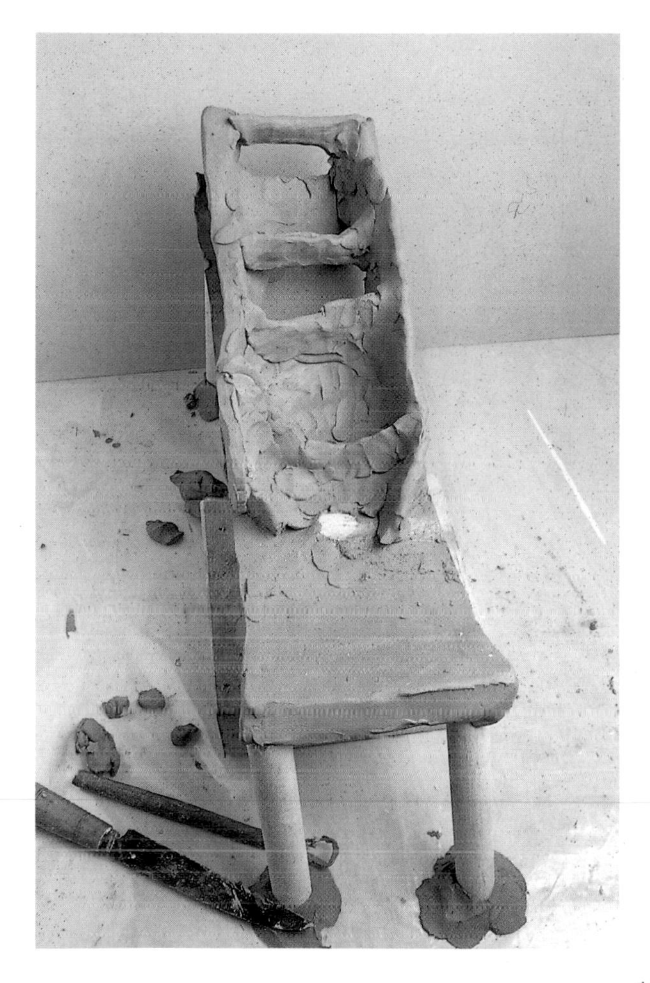

ger! Le fait d'imaginer un sujet (nous ne parlons pas de son exécution) ne doit jamais être bridé, altéré, réduit par les difficultés techniques de réalisation qu'il suppose. Celles-ci viendront ensuite.

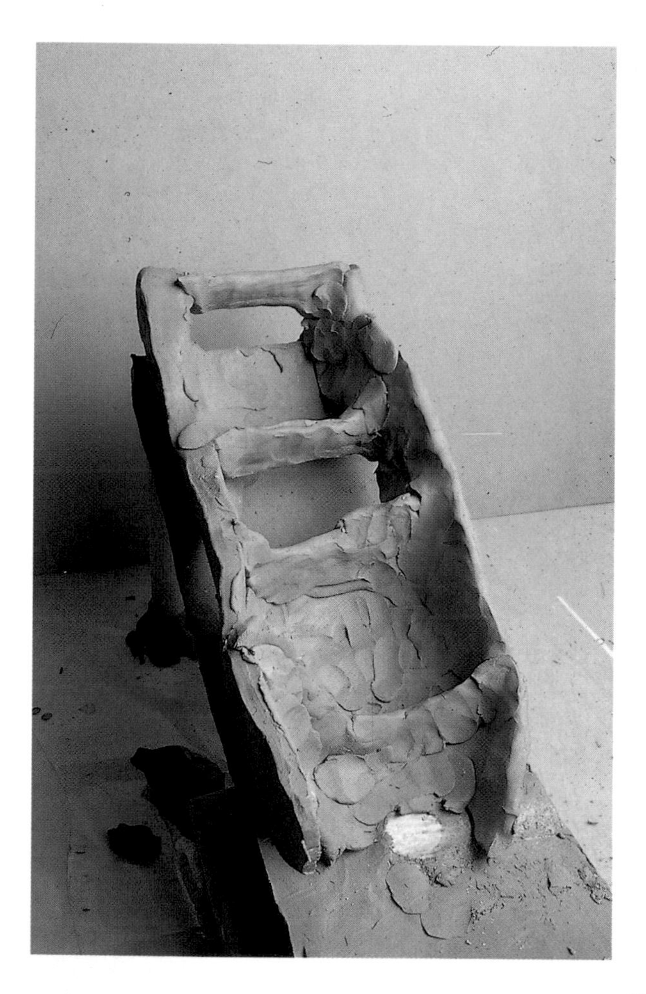

Il me semble que la « chose réalisée » donne une idée précise des difficultés que le projet initial supposait. Nous avons donc procédé ici à une illustration de la manière de pratiquer, ce qui pourra peut-être paraître un peu terre à terre et ennuyeux, ceci afin de vous guider en vous prenant par la main. Un seul détail différencie cet exemple des précédents: il a été modelé directement en creux. Il est impensable d'espérer réaliser, étant données ses dimensions, notre sujet en plein. La diversité des volumes et des poids provoquerait au cours du processus de séchage d'importantes déformations (on le comprend facilement rien qu'en observant la différence notable de

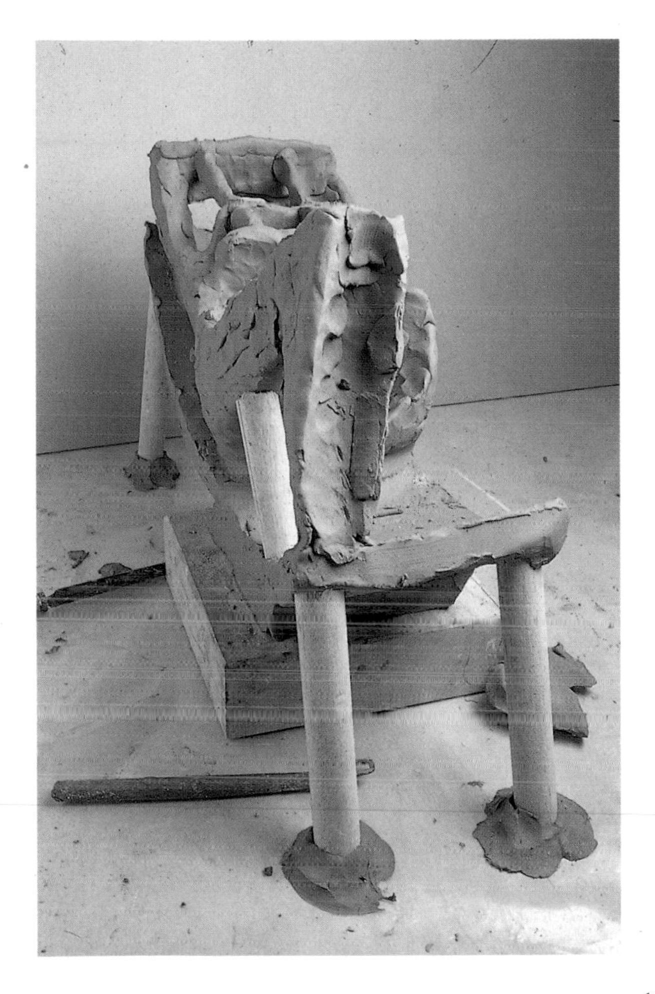

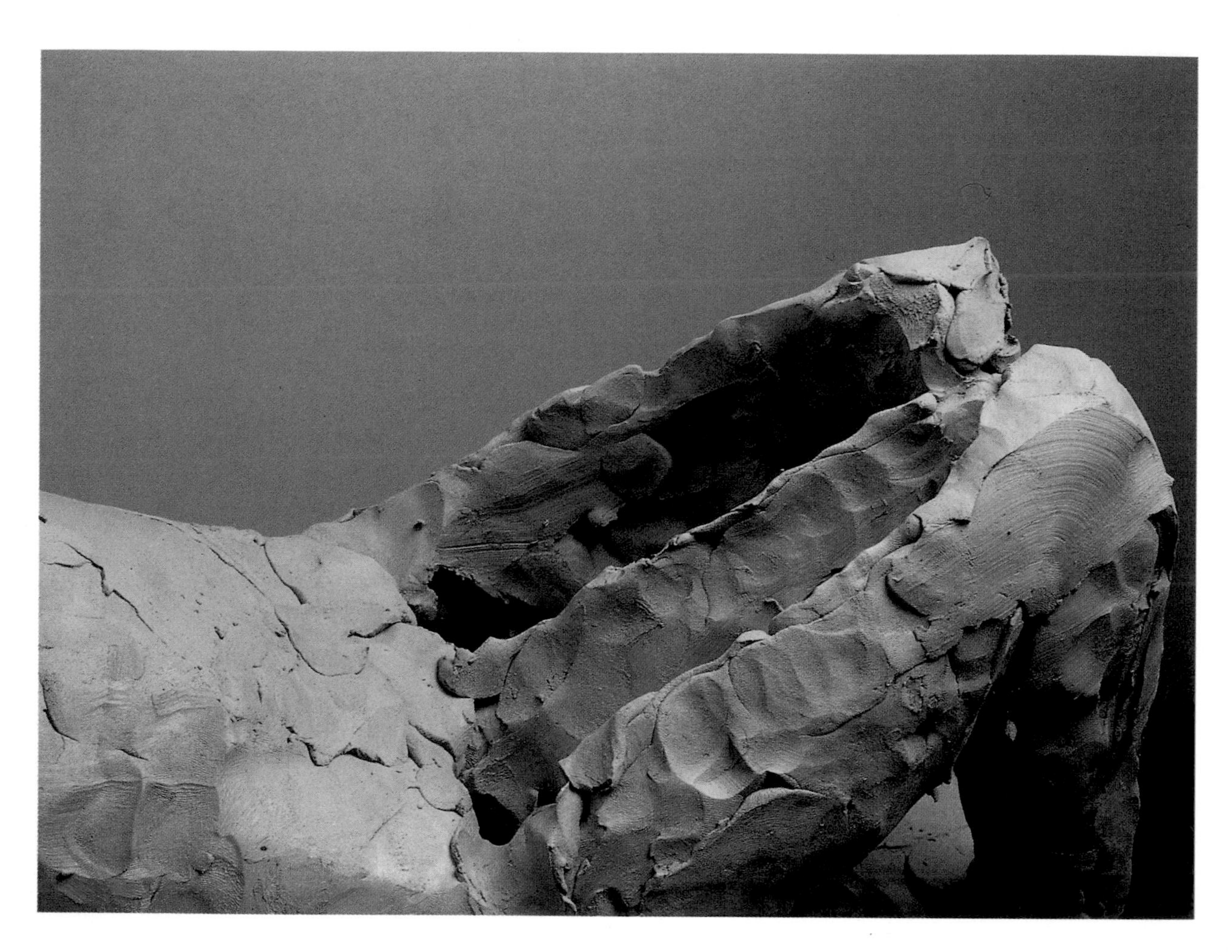

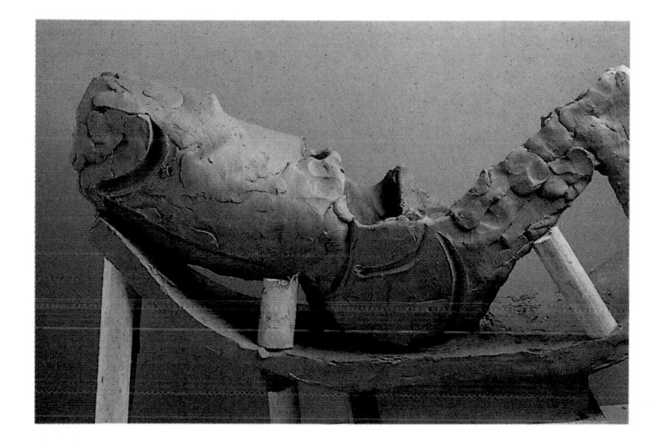
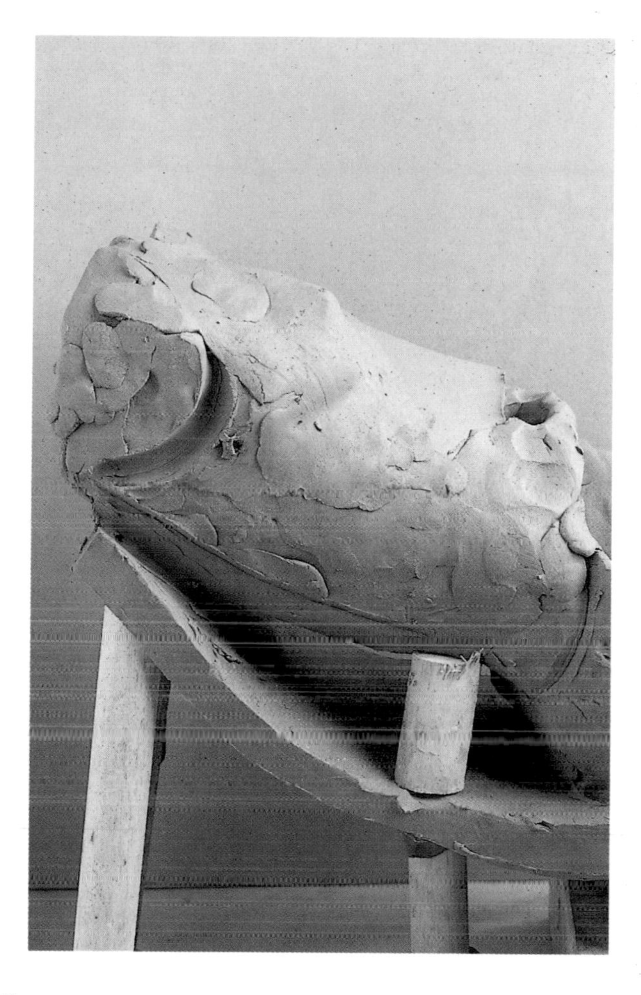
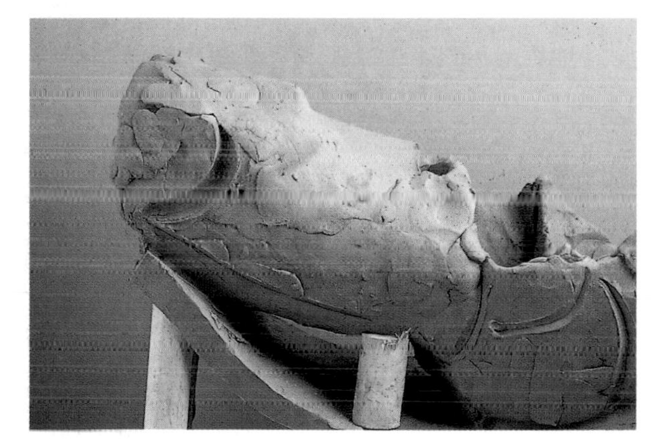

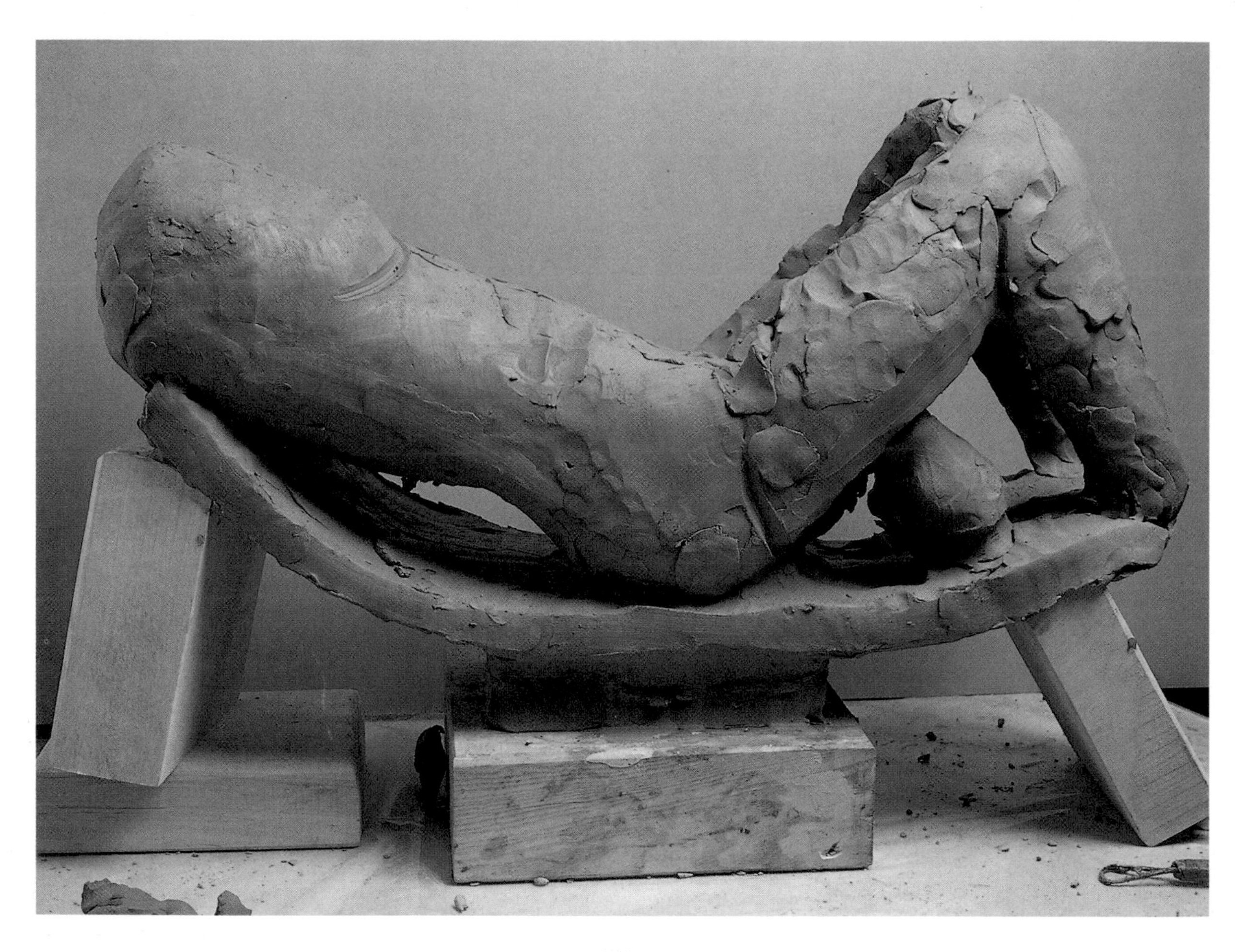

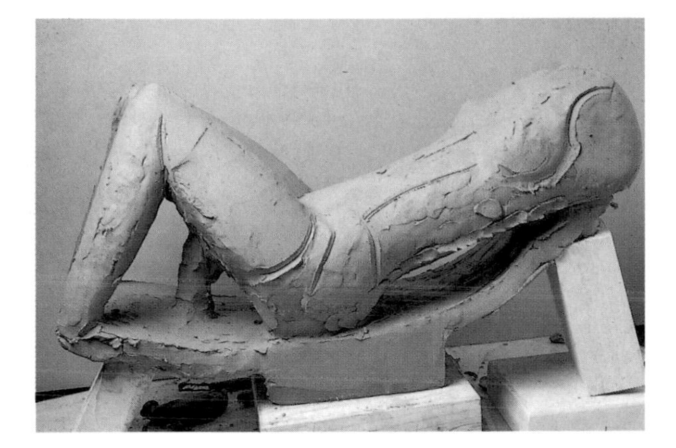

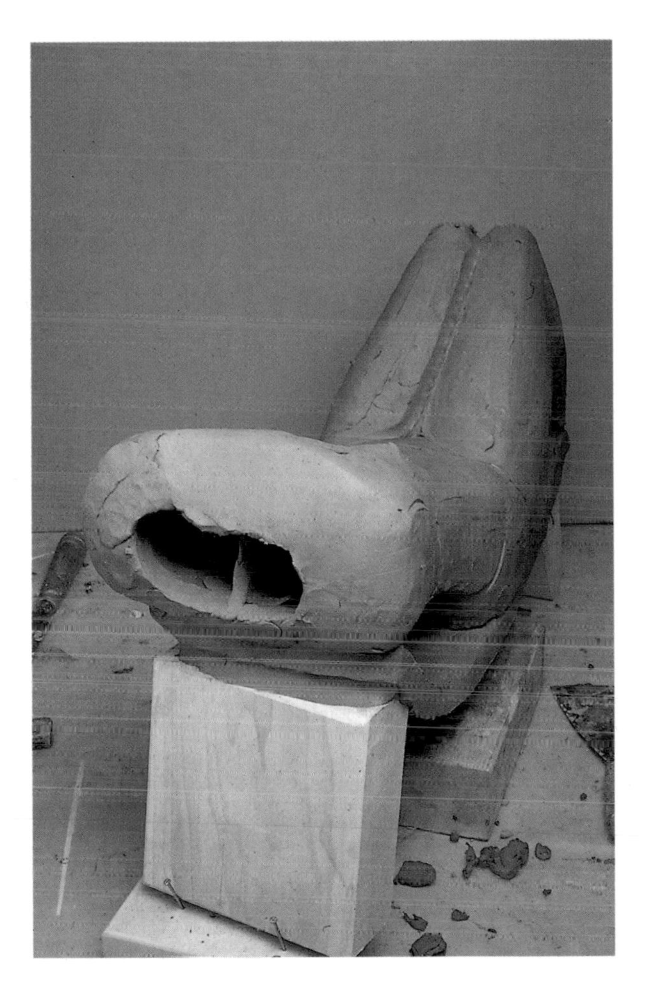

** Notons que les supports de départ ont été remplacés car avec la progression du travail et l'augmentation du poids, ils se sont révélés insuffisants.*

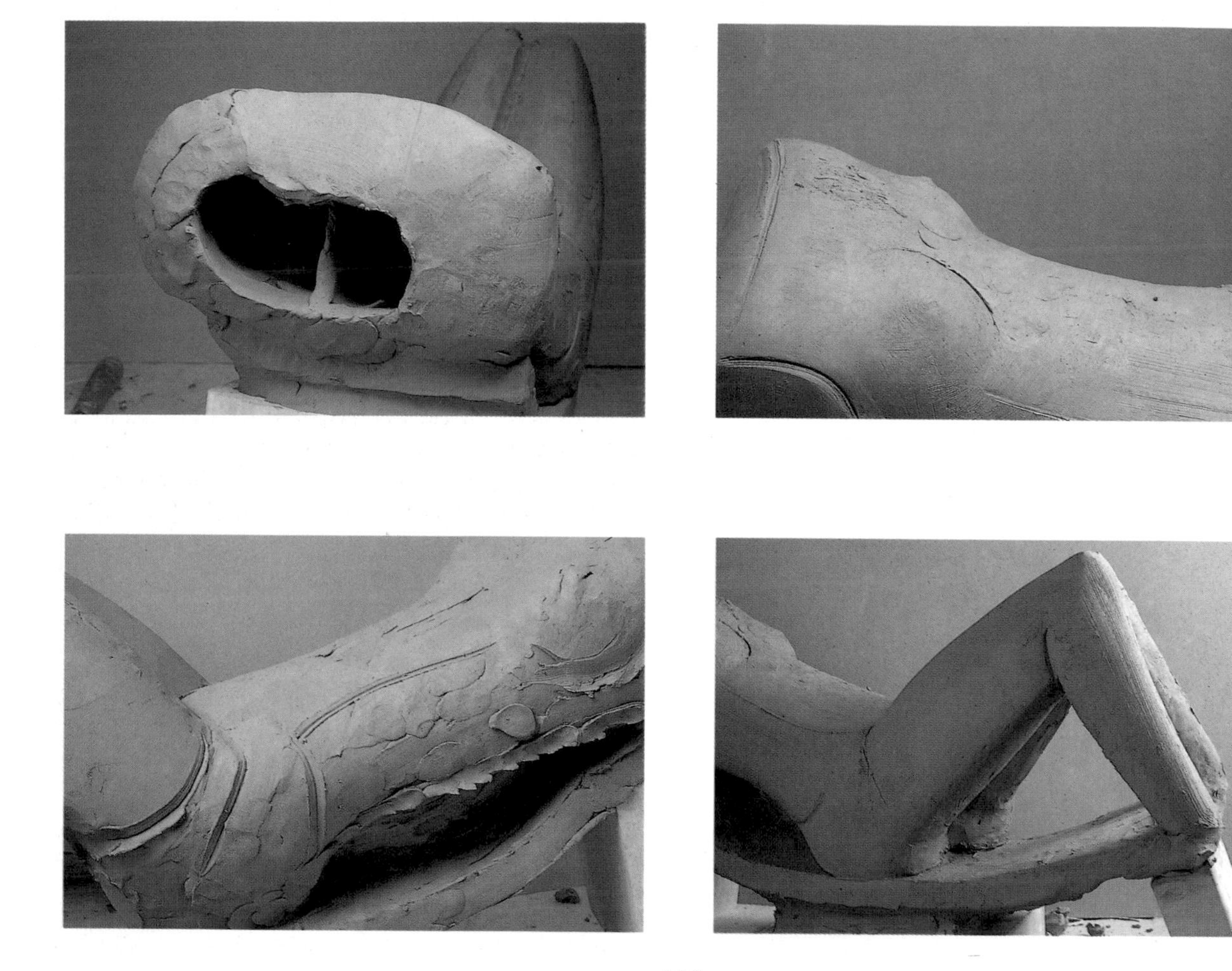

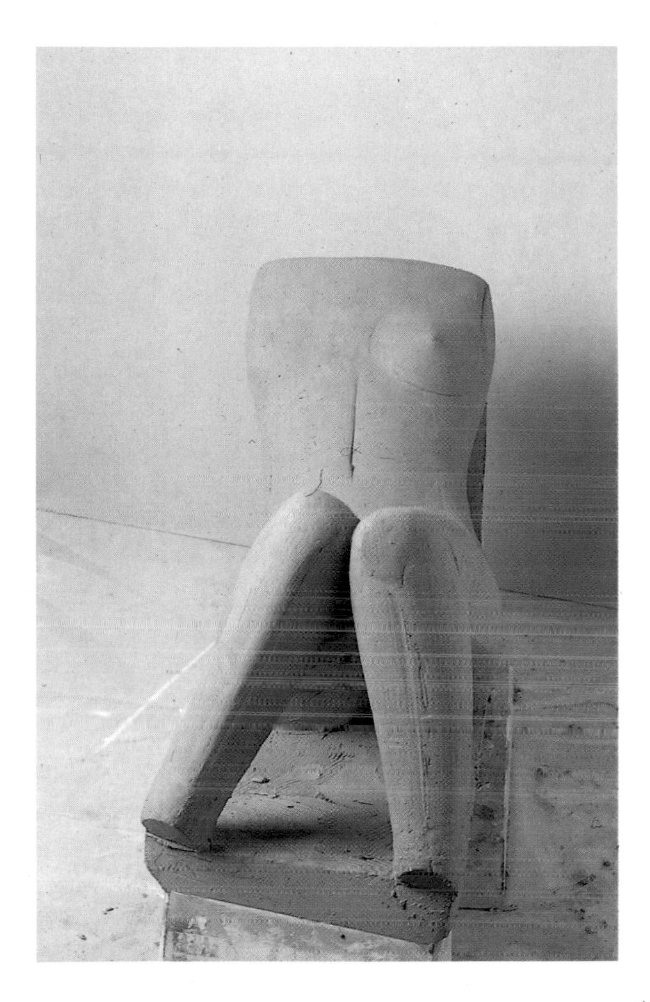

volume qui existe entre le tronc et les jambes). Il est entre autres toujours déconseillé, lorsqu'il s'agit de traiter des nus, de pratiquer des fenêtres pour l'évidement, comme on l'a fait lors du modelage du portrait en ronde-bosse. En effet, lors de l'étape consécutive de réassemblage des morceaux, au cas où l'on penserait procéder ainsi, la trace des connexions persisterait.

C'est pour toutes ces raisons que nous avons procédé à une construction de l'intérieur vers l'extérieur, en prenant garde à ce que les parois constituées au fur et à mesure aient, autant que possible, une même épaisseur.

Les photographies racontent, je le crois, de manière exhaustive, le comment et le pourquoi de la disposition précise des nervures de soutien (que l'on se réfère à n'importe quel travail de charpente, qu'il s'agisse d'un bâtiment ou plus simplement d'une quelconque embarcation). L'unique préoccupation lors de l'application de cette méthode doit être de créer le plus de vide possible à l'intérieur de l'objet. Il s'agira ensuite simplement de conduire le modelage avec soin. Un peu de métier sera nécessaire et je vous adresse ici tous mes vœux, vous souhaite un « bon travail » et vous dis merci d'avoir trouvé la patience et la constance de me lire.

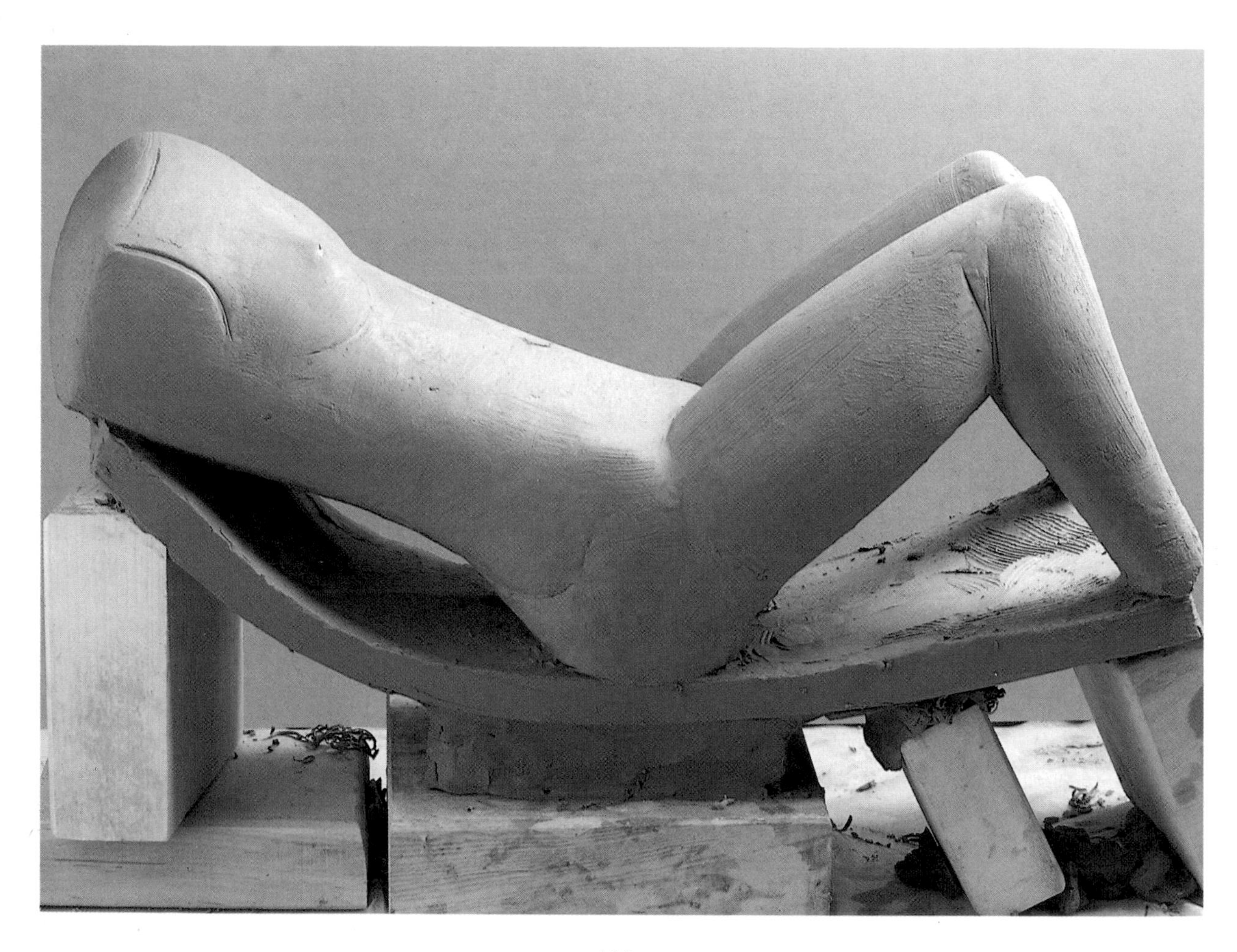

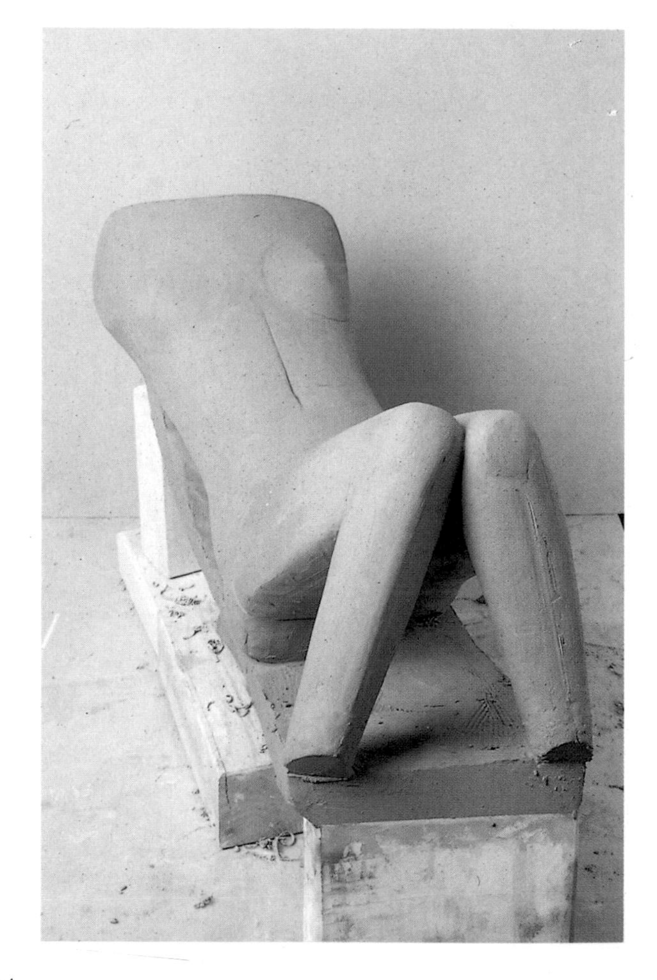

*Une fois la sculpture terminée, avant que ne commence le processus de séchage, il faut se soucier de couvrir et d'isoler les parties les plus minces qui, en séchant plus vite, pourraient se détacher de l'ensemble.*

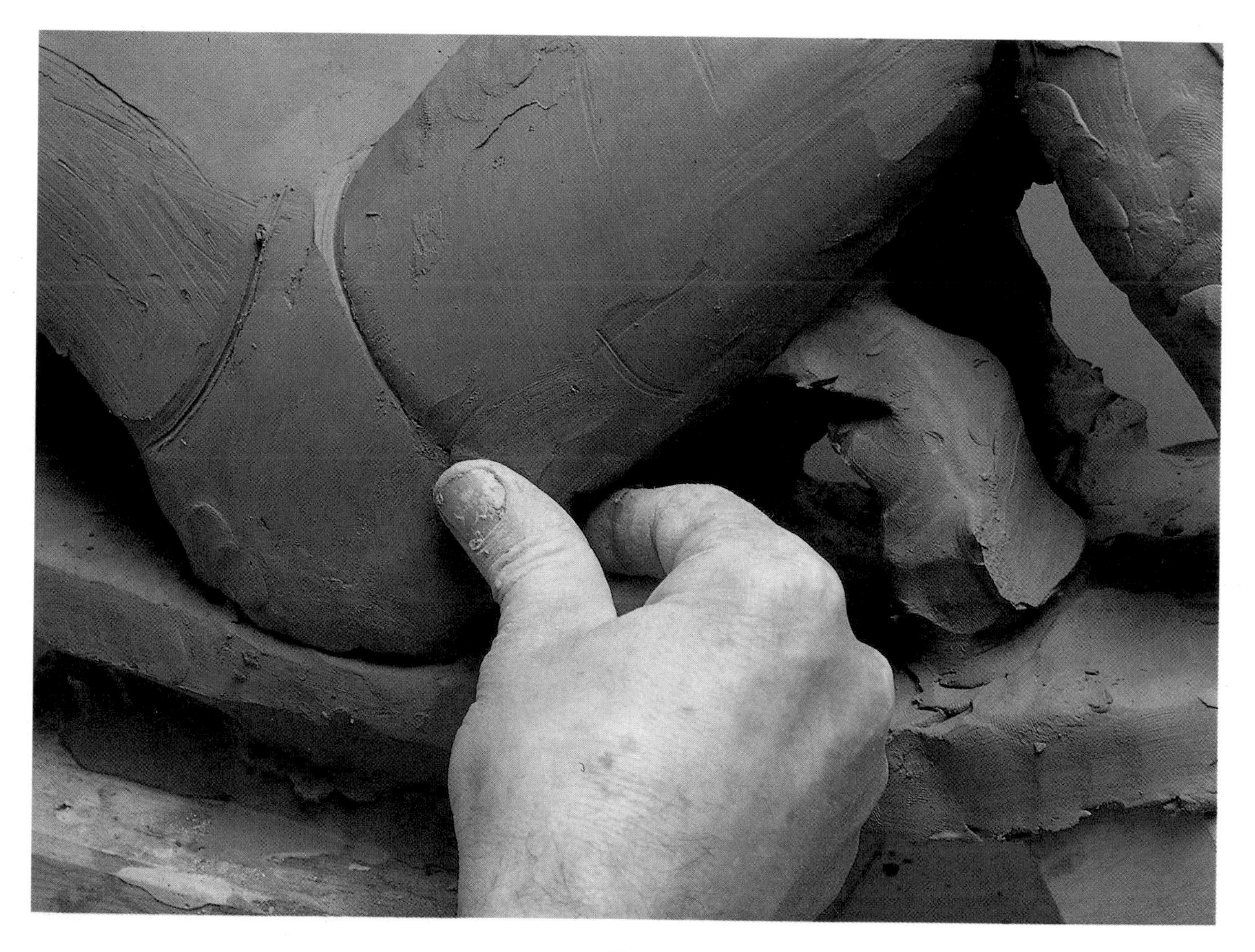

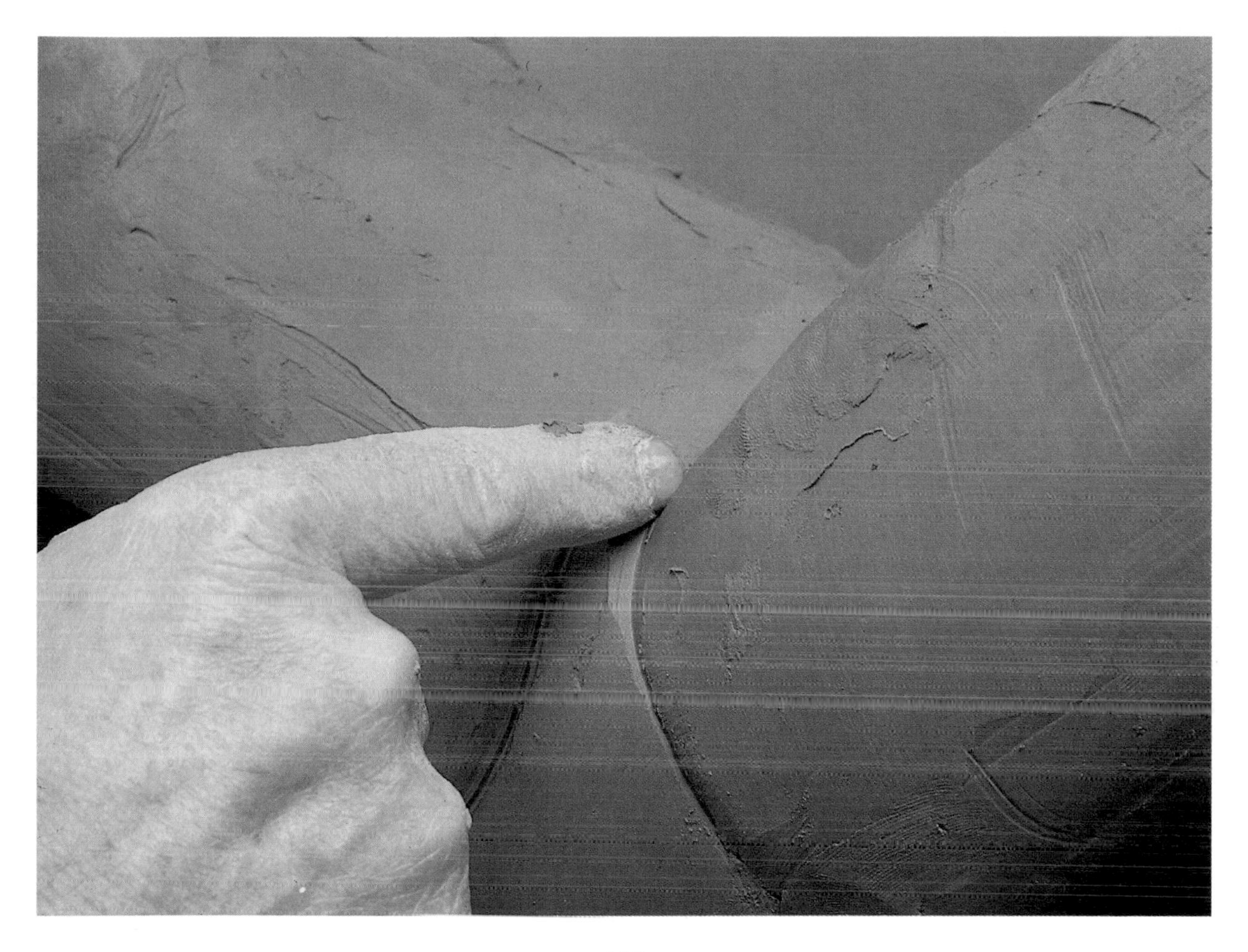

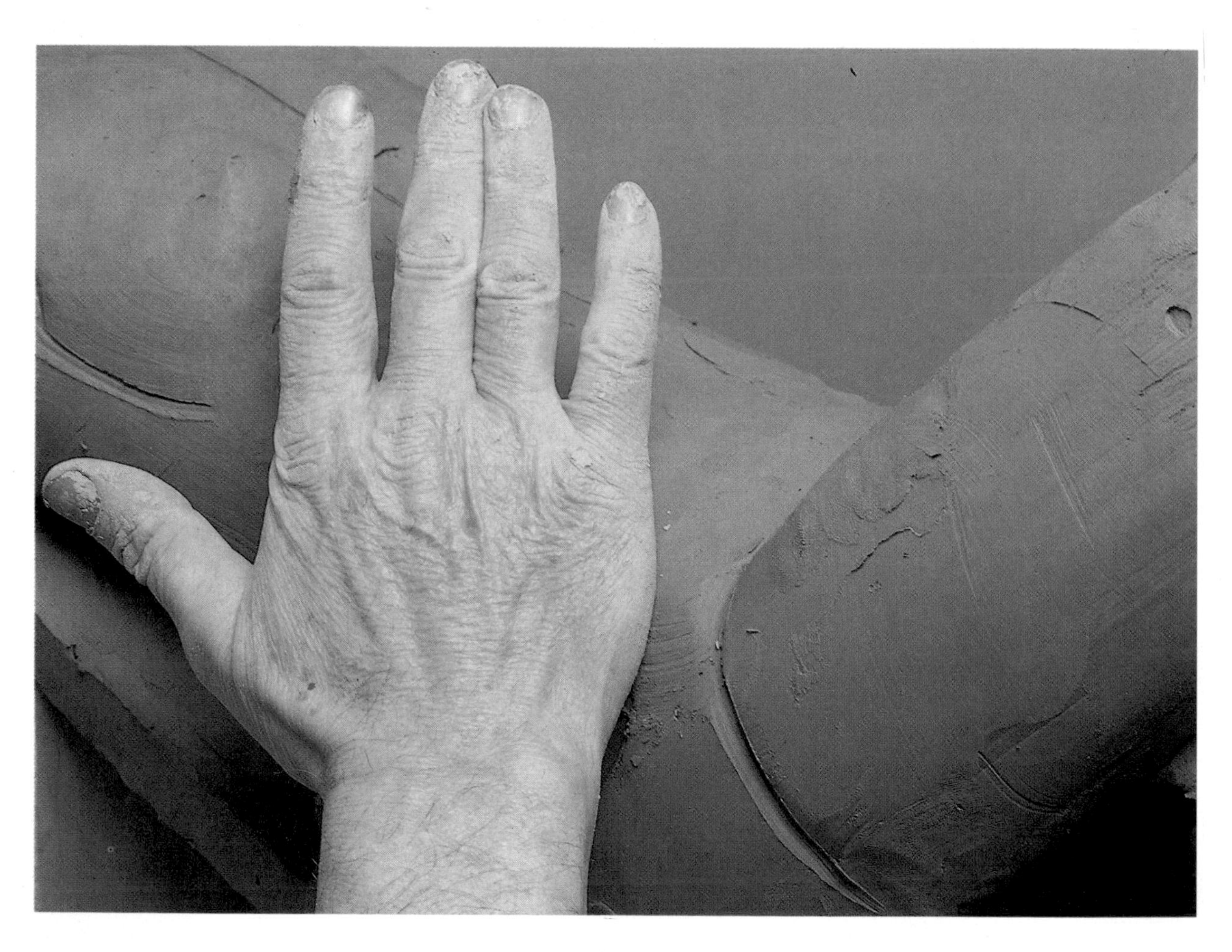

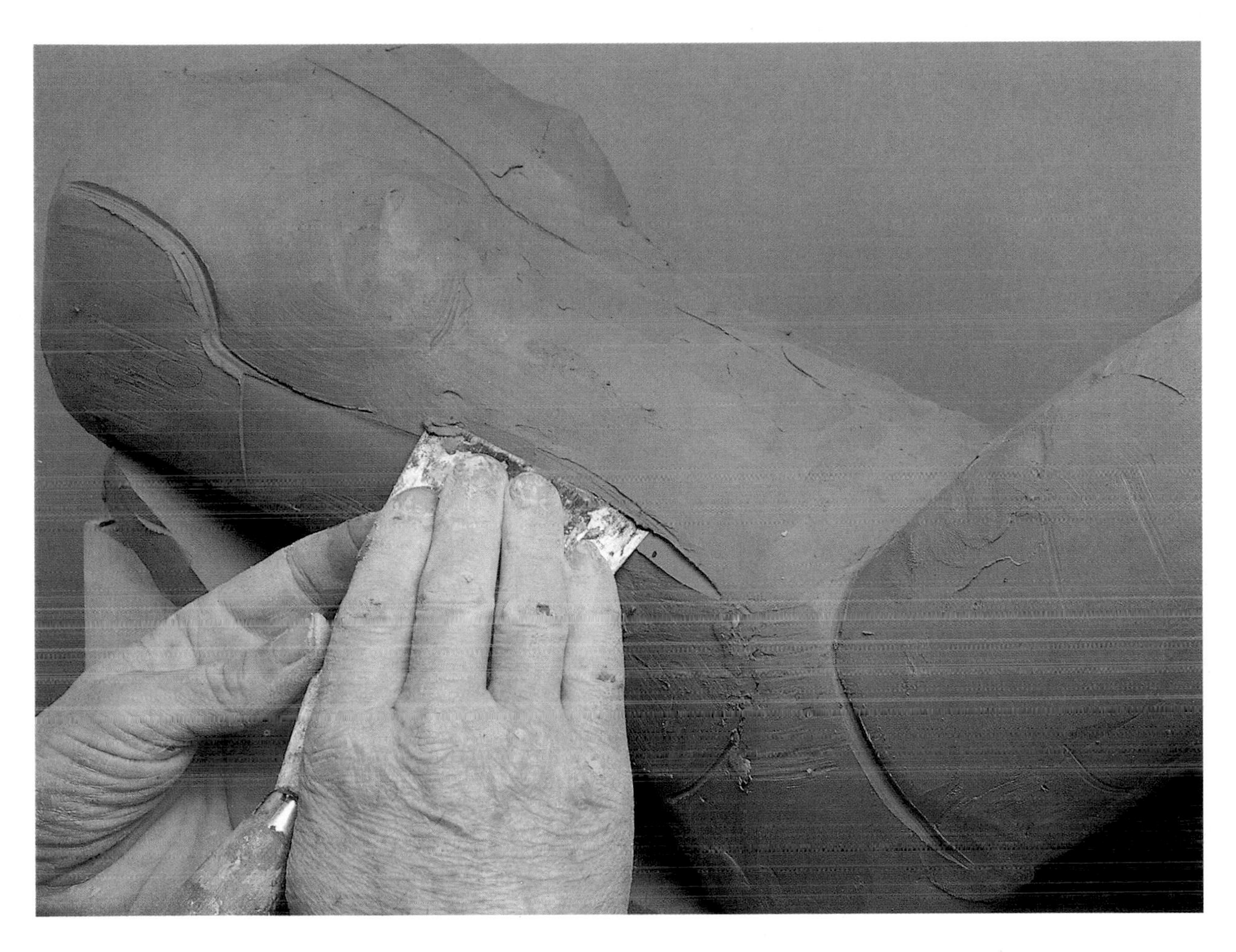

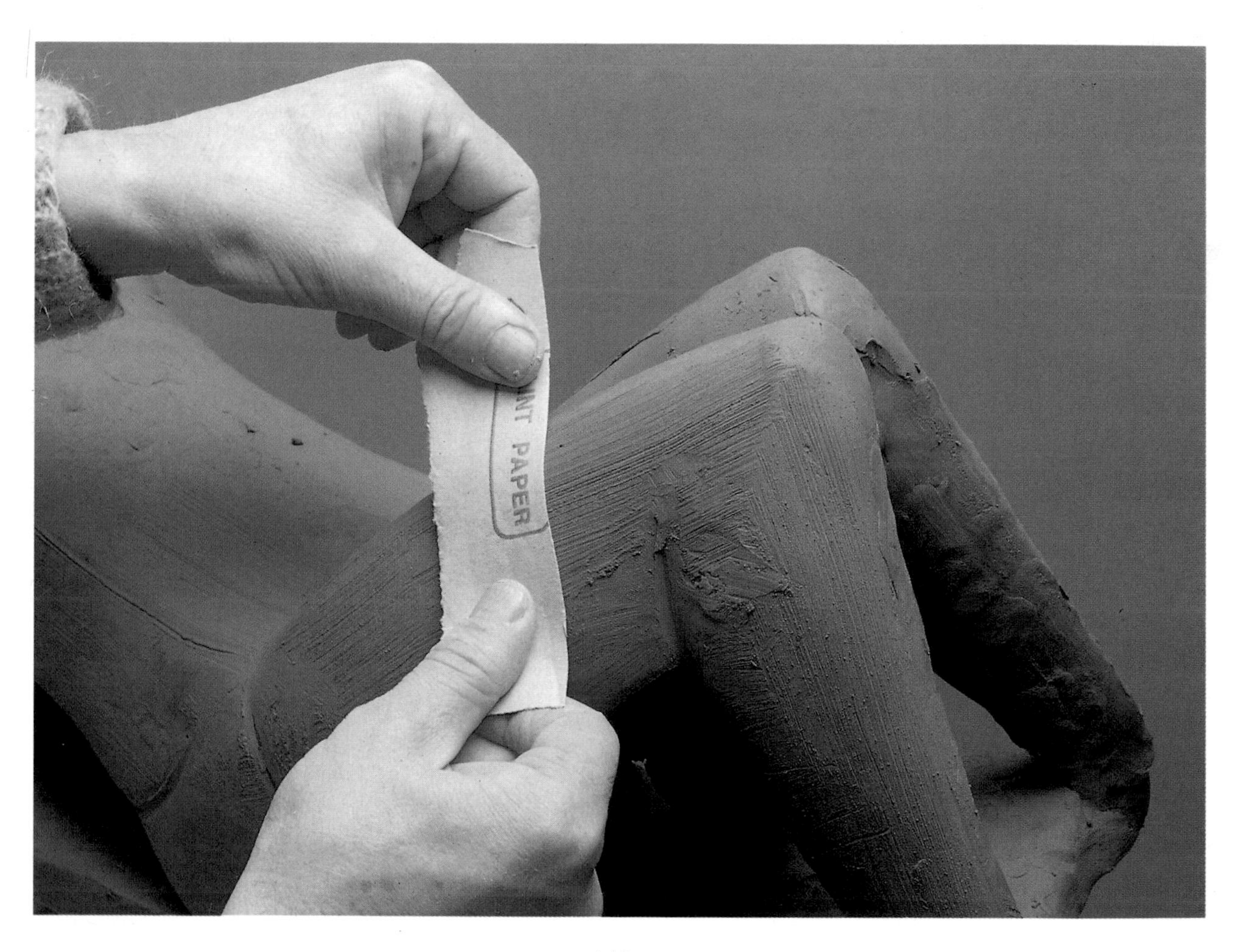
PAPER

*Il arrive souvent qu'au cours d'une lecture ou de l'observation d'un tableau, d'une sculpture, d'une photographie, ou bien en écoutant de la musique, me vienne l'envie de connaître l'aspect de l'auteur. Je ne pense pas qu'il s'agisse seulement d'une curiosité gratuite: c'est quelque chose de non rationnel, d'instinctif, qui cherche à établir une correspondance quelconque avec l'aspect, la physionomie, l'expression propre de l'auteur et les choses recueillies. Pensant que cette curiosité peut aussi valoir pour autrui, moi qui jusqu'à présent ne me suis fait connaître qu'au travers de l'action de mes mains, voici mon portrait.*

*Une fois le processus de séchage terminé, la sculpture peut être amenée au fourneau pour la cuisson, en prenant naturellement les précautions nécessaires à son transport. Les images de droite illustrent les différents moments de cette opération: l'introduction de la sculpture dans le four par la personne préposée, l'intérieur du four après la cuisson, avec les diverses pièces encore en place, et enfin la statue, une fois refroidie, extraite du four.*

# SOMMAIRE